Einaudi. Stile Libero Big

www.einaudi.it

ISBN 978-88-06-23734-9

Emanuela Canepa
L'animale femmina

Einaudi

L'animale femmina

Eppure stava facendo una bella cosa: stava dimostrando come poco possa bastare all'anima per sussistere. Privo di nutrimento sia del cielo che della terra, Maurice andava avanti per la sua strada, lume che si sarebbe spento se fosse vero il materialismo. Non aveva un Dio, non aveva un amante... i due consueti incentivi alla virtú. Ma continuava a combattere dando le spalle alla vita facile, perché lo esigeva la dignità. Non c'era nessuno ad osservarlo, e nemmeno si osservava lui stesso, ma le battaglie come la sua sono le imprese supreme dell'umanità, e superano tutte le leggende del paradiso.

Non lo aspettavano compensi di sorta. Quel suo operato, come tante altre cose già scomparse, sarebbe caduto in rovina. Ma lui non cadde con esso, e i muscoli che si erano sviluppati nel frattempo, rimasero validi per un uso diverso.

E. M. FORSTER, *Maurice*

La donna che stira ossessivamente è mia madre.

Fa il primo giro di lenzuola piegandole a metà per il lato della lunghezza. Le appoggia sull'asse e lascia che scivolino come la pasta all'uovo quando viene fuori dal rullo. Prima le stende con le mani, liscia le pieghe, anche le minime imperfezioni, poi preme il ferro con energia, come se il lenzuolo si fosse macchiato di qualche colpa che ora deve espiare. Davanti e dietro; da cima a fondo, e in senso contrario, risalendo verso l'alto.

Si allontana, le guarda, sospira.

Ha sempre avuto il passo pesante, il gesto imperioso, la concentrazione livida di quelli che hanno in mente uno scenario definito nei dettagli prima di mettersi all'opera, e non ammettono variazioni rispetto al pronostico. Per mia madre la parola resilienza è una bestemmia, e la forza di carattere si misura dalla tenacia con cui ti opponi alla vita e la prendi per le corna schiacciandole il muso a terra finché non ti dà esattamente tutto quello che ti aspetti. Se questo non succede, e non succede quasi mai, è l'inferno.

Si avvicina di nuovo all'asse da stiro, piega le lenzuola e riduce la superficie della metà.

Ricomincia da capo: una fascia per volta. Le distende con le mani, preme il ferro davanti e dietro, si allontana, sospira, torna. Lo piega ancora, e riprende.

Nel momento in cui l'involto del lenzuolo raggiunge il perfetto spessore di tre centimetri, finalmente si avvia alla conclusione. Ripassa il ferro davanti e dietro. Si allontana, guarda, sospira. A volte aggrotta le sopracciglia, che diventano una linea unica. E torna.

Può capitare che non sia soddisfatta di quello che vede. Allora fa una specie di sorriso sghembo, gli occhi diventano due fessure. Afferra il lenzuolo piegato e lo squaderna un paio di volte con uno schiocco secco. Se le finestre sono aperte per far circolare l'aria, la corrente lo gonfia come una vela prima che si adagi di nuovo sull'asse, ubbidiente. Ricomincia. Continua fino a che non è perfetto, proprio come se l'era immaginato prima di iniziare.

Quando ha finito lo appoggia sul tavolo del salotto con delicatezza estrema, neanche fosse un cristallo. Fa un sospiro, e riattacca col successivo. Una volta alla settimana. Tutte le settimane.

L'ho guardata per anni di nascosto dalla porta della mia camera socchiusa. Mi ipnotizzava. La sua è una psicosi incondizionata. Riesce a disinstallarsi la coscienza caricando al suo posto un software operativo di annichilimento interiore, convinta che la confusione sia intrinsecamente immorale e vada estirpata. Dovunque scorge l'ombra del caos interviene ricostituendo l'ordine primigenio.

Non ho mai capito come fa a resistere, insensibile a qualsiasi impulso esterno.

Da bambina non facevo altro che aspettare di vederla puntare gli occhi su di me. Non è che mi trascurasse, al contrario. Non mi ha mai fatto mancare niente. Ma non mi guardava mai. Ogni atto di cura veniva messo in pratica con la stessa meticolosità di tutto il resto, la mente già proiettata verso l'incombenza successiva. Infilarmi una maglietta o preparare la base del soffritto erano attività con lo stesso grado di coinvolgimento. Io non facevo mai la differenza. Quando ero pronta per uscire scivolavo fuori dalla porta di casa – il grembiule stirato, la cartella sulle spalle, il sussidiario protetto nella copertina di plastica trasparente, e la merenda nel cellophane – e nella sua lista mentale ero solo una voce spuntata.

Ho provato a distoglierla, ma non avevo mezzi. La natura della mia devozione era chiara fin da allora. Non sono mai stata una di quelle che piantano casini per farsi notare, piuttosto cerco di meritare di essere amata. Ho sempre praticato la via dell'ubbidienza.

A un certo punto ho capito che continuare a sperare era solo una scelta tossica. Dal momento in cui ho compiuto quattordici anni nella mia testa ha preso forma un pensiero spontaneo e ossessivo che non sono piú riuscita a censurare: «Devo andarmene da questa casa o mi verrà una brutta malattia».

Per molto tempo non ho avuto il coraggio di farlo. Poi mi sono detta che dovevo tentare, e alla fine ci sono riuscita. Perché sapevo che là dentro sarei morta. E io invece volevo vivere.

Appena ho visto il portafoglio nel cestino ho capito.

Ho cercato subito di individuare la sagoma tarchiata della donna in mezzo alla confusione. Lí per lí ho pensato che sarebbe stato facile, anche se non era alta, perché spiccava come un gladiatore. Avevo notato le spalle massicce, le mani sprofondate nelle tasche. Per di piú portava una giacca verde fluo lunga fino alle ginocchia.

Ma ho sottovalutato lo struscio caotico del centro alla vigilia di Natale. Erano quasi le nove, e in piazza Cavour c'era già il delirio. Mi è sembrato di riconoscerla all'angolo con il Liston, a quella distanza però non potevo esserne certa.

Ho afferrato il portafoglio al volo e mi sono messa all'inseguimento. Intorno un casino indescrivibile.

Ho urlato: – Signora! Signora! – e si sono girate in cento. Lei invece non mi ha sentito, troppo lontana. Appena arrivata in fondo alla piazza mi sono fermata e ho cominciato a guardarmi intorno. Tra le bancarelle e la marea umana era impossibile individuarla. Ho fatto ancora un paio di tentativi sollevandomi sulle punte per distinguere qualcosa fra tutte quelle teste, ma sono talmente bassa che non è servito a niente, e alla fine ho rinunciato.

Mi sono rigirata il portafoglio tra le mani. Modesto, un po' consumato, di quelli che costano poco, con la chiusura a velcro. Era ancora aperto ma i soldi erano spariti. C'era solo una quantità incredibile di tessere del supermercato, e quattro o cinque bollette pagate, con il timbro postale e la data di oggi. In una tasca interna ho trovato un documento, la carta d'identità di una certa Larisa Jarmolenko, un nome diverso da quello che compariva sulle bollette, e che era maschile. L'indirizzo invece corrispondeva, ed era di Padova, anche se non mi suonava familiare. Alla voce nazionalità era scritto: ucraina.

Slava, quindi. Ma era ovvio, bastava guardarla.

L'avevo osservata a lungo sull'autobus, cosí, senza particolare intenzione. Solo perché mi ispirava curiosità, e perché mi sarei attaccata a qualsiasi cosa pur di non pensare alla scadenza del debito. Ho i soldi contati al centesimo per sopravvivere, ma il mese scorso è andata in corto la caldaia insieme con una parte dell'impianto di riscaldamento, e il proprietario di casa ha detto che era colpa nostra, e che si aspettava che partecipassimo alle spese. È falso, ovviamente, la caldaia era già un vecchio cassone quando sono andata a vivere lí. Abbiamo provato a negoziare, le mie coinquiline e io, ma non c'è stato verso. Malgrado tutto sono stata fortunata. Le ragazze a un certo punto erano cosí furiose che hanno pensato di cercare un altro appartamento. Non siamo amiche, ho difficoltà a legare con gli altri, però sono sempre state carine. Tornando a casa una sera le ho sorprese che parlavano in salotto, ho capito che discutevano di me perché si sono zittite appena ho superato la soglia. Sanno che non potrei seguirle – non troverò da nessuna parte un'altra stanza che costi poco quanto quella in cui vivo – e che se vanno via il proprietario potrebbe chiedere a me di pagare il danno per intero. Allora hanno accettato. Ci siamo divise la spesa in tre e fanno centocinquanta euro a testa, un quarto del mio stipendio, che devo saldare entro la fine di gennaio, e non so dove andare a pescare. Sono state generose con me, non posso pretendere che paghino quello che mi spetta. E se non trovo i soldi potrebbero cambiare idea e andarsene. Ci penso da giorni e non so che cosa fare.

Per avere un attimo di requie mi sono concentrata a osservare la donna, in cerca di una distrazione.

Mi capita sempre di chiedermi cosa c'è dietro l'aspetto anonimo delle persone. Aveva tra i cinquanta e i sessant'anni, una statura media, le sopracciglia ridotte a una linea sottile e ritoccate con la matita marrone. Non era vestita né male né bene. Sotto il giaccone fosforescente portava una gonna di tweed, mocassini neri e bassi, e calze color carne, quelle terribili da casa di riposo. I capelli erano decolorati, corti e stopposi. Il genere di taglio che ti arrangi da sola, spuntando con le forbici da cucina e usando tinture cinesi. Nell'insieme sembrava l'icona della Beata Vergine delle Badanti.

Mi ricordo bene anche della donna piccola e bruna con gli occhiali da sole e un berretto di lana calato fino agli occhi che si è piazzata dietro, vicinissima, e quando la bionda ha suonato si è avvicinata alle porte, infilandosi tra lei e me, che dovevo scendere alla stessa fermata. In un angolo remoto del cervello mi sono detta: «Chissà perché le si appiccica in quel modo, vedrai se non inciampano l'una sull'altra adesso che l'autista frena».

Invece, nel momento in cui si sono spalancate le porte, la bruna ha fatto un gesto preciso e veloce che il mio cervello ha registrato senza averne coscienza, è saltata giú dal bus prima ancora che l'altra mettesse un piede a terra, e si è allontanata veloce come un gatto. La slava è scesa decisa subito dopo di lei senza accorgersi di niente, e ha preso a camminare nella direzione opposta. Neppure io avevo capito. Mi sono avviata nella stessa direzione della piccoletta, e solo vedendo il portafoglio nel cestino ho ricostruito. Poi mi è bastato controllare la foto sulla carta d'identità per avere la conferma.

Cosa faccio ora, vado alla polizia? Guardo l'orologio: le nove e dieci. Mi hanno chiamata un'ora fa, come al solito all'ultimo momento, per una sostituzione. Sono già in ritardo, non ce la faccio. Magari glielo porto domani a casa, in fondo l'indirizzo ce l'ho.

Ci rifletto meglio: domani? Il giorno di Natale? Oddio, per il genere di celebrazione che ho in mente, attraversare la città per andare a riconsegnare un portafoglio rubato potrebbe essere un'attività quasi ludica. Almeno farei qualcosa di diverso dai festeggiamenti in programma, che si riducono a una sveglia comoda, una giornata sui libri, e una scatoletta di tonno sott'olio prima di andare a dormire. Che poi per me anche questa è gioia pura perché, ora che non vivo piú da mia madre, qualsiasi cosa è meglio che tornare a casa per le feste da lei. Se non avessi l'ossessione del debito sarei quasi felice.

Va bene, ci penserò dopo, altrimenti faccio tardi sul serio. La giornata sarà lunga perché è la vigilia di Natale. E la vigilia di Natale è quasi sempre una baraonda.

Le cose sono andate meglio di come mi aspettavo. Durante la mattinata c'è stata parecchia gente, ma non un'invasione. Il registratore di cassa non si è mai inceppato, ed era successo già due volte quest'ultimo mese. L'atmosfera di Natale ha fatto il resto.

Erano tutti sorridenti, alla fine mi è quasi passata la malinconia. All'ora di pranzo, quando il supermercato si è svuotato per un paio d'ore, sono riuscita a trovare il tempo di aprire il libro di Fisiologia e cominciare un capitolo, facendo uno sforzo per contenere l'angoscia che mi prende quando penso a tutte le volte in cui ho tentato l'esame senza passarlo. Che poi passarlo non è sufficiente, se non prendo almeno ventiquattro non vado da nessuna parte, né con le cliniche né con il tirocinio. Il primo appello è il 5 febbraio.

Ho aperto al capitolo XXI.

«Il cuore è un muscolo cavo costituito da un insieme di fibrocellule striate ramificate, ben separate anatomicamente le une dalle altre, ma anastomizzantisi in modo da formare un sincizio».

Ho sottolineato «anastomizzantisi» per ricordarmi di fare l'ennesima verifica – però un'idea ce l'ho: è una procedura legata alla congiunzione di arterie, nervi e vene – e «sincizio», che, se non ricordo male, è la massa protoplasmatica derivante dall'unione delle cellule. La definizione dei termini tecnici, prima di memorizzarla, devi rileggerla cento volte, altrimenti ti rimane il dubbio. Avevo il manuale squadernato sulle ginocchia, un gioco delicato di equilibrio perché pesa almeno due chili, e a un certo punto ho avvertito una presenza. Ho alzato la testa.

In mezzo agli scaffali ho visto la signora Scanferlato che mi fissava. Aveva un barattolo in mano. Appena si è accorta di me l'ha rimesso a posto. Poi l'ha ripreso, e di nuovo l'ha riposto nello scaffale. L'ha fatto tre o quattro volte. Sempre lo stesso barattolo, sempre nello stesso punto.

La cosa strana era che non borbottava, un segnale piuttosto inconsueto da parte sua, che parla in continuazione anche da sola.

Forse il marito è scomparso ancora. È un vecchietto carino e sorridente, un bidello in pensione, e a modo loro si vogliono bene. Vengono spesso insieme: bisticciano, si fanno i dispetti, lui infila la roba nel carrello e lei la toglie protestando perché è tutto troppo caro, certe volte per mettersi d'accordo a fare la spesa ci perdono due ore. Ma poi se pensano che nessuno li veda si nascondono dietro gli scaffali e si dànno un bacetto sporgendo le labbra come Topolino e Minnie. Certo che lei non sta mai zitta, è pesante anche per noi che la vediamo di rado, e allora il marito da qualche anno ha trovato questa soluzione: ogni tanto sparisce.

Me l'ha detto Dina che conosce la vicina di pianerottolo. Si prende una pausa di decompressione. Esce dicendo che va a farsi un'*ombra* al bar, e resta fuori un paio di giorni. E quando torna le porta un mazzo di gerbere rosa.

Lei ignora dove vada, altrimenti andrebbe a riprenderselo. Non l'ha mai capito, e cosí quando rimane sola viene qui a sfogare la sua nevrosi. Poi oggi è la vigilia, immagino che l'assenza le pesi di piú.

Guardo il mio libro fingendo massima concentrazione, spero tanto che se la cavi da sola, ma nel momento in cui rialzo la testa è sempre lí a fissarmi.

Sospiro, chiudo il manuale e mi avvicino.

– Il prezzo, – mi chiede, e ricomincia ad afferrare il barattolo e rimetterlo a posto. La voce è un pigolio.

– Mi faccia vedere –. Do un'occhiata al cartellino di plastica appeso sul bancale. – Ma no, è lo stesso dall'inizio dell'anno, davvero. Quanti gliene servono?

Lei è stralunata, scuote la testa a destra e a sinistra. Si vede che senza il marito, che prende quello che lei toglie, il suo ritmo interno in qualche modo si è rotto. Un disco di coppia incantato.

– Gliene metto uno nel carrello. È di quelli grandi, sono quasi tre etti, va bene? Poi se gliene serve ancora siamo qui.

La donna fa cenno di sí. Il viso si distende. È felice di trovare qualcuno che le faccia da sponda.

Comincia a parlare velocissima, come se fino a quel momento avesse trattenuto il fiato. Prima sottovoce, poi in modo sempre piú fluido, una cantilena che si alza e si abbassa di tono senza pause.

Le do una mano a finire la spesa, la ascolto raccontare dei figli, delle nuore, dei nipoti, dei fratelli, del cane, dei gatti, dei vicini, della mamma, del papà. Alla fine le faccio il conto in cassa e la aiuto a imbustare.

Sulla porta esita. Fuori da quel confine sarà di nuovo sola.

– Buon Natale, – le dico.

La Scanferlato bisbiglia un saluto e un augurio, poi esce allacciandosi un fazzoletto sulla testa, stretto come se dovesse affrontare una tormenta. Si avvia a passo lento verso il suo portone.

Torno alla cassa e trovo Dina che mi aspetta.

– Ci caschi sempre, – dice scuotendo la testa. – Quante volte ti ho detto che non devi darle spago? Hai mangiato qualcosa, almeno? Tieni, – e mi passa un panino con il prosciutto cotto e una fetta di asiago. Conosce i miei gusti. In teoria non saremmo autorizzati a pranzare sul lavoro, né tantomeno a mangiare i prodotti in vendita. Contiamo sul fatto che il responsabile chiuda un occhio visto che è Natale. Per fortuna è fuori da un paio d'ore, e almeno oggi non ci vede.

– Grazie, – dico, dando un morso. Sono due giorni che non faccio la spesa, oppressa dall'idea di risparmiare perfino i centesimi, e oggi in frigo non mi era rimasto neppure un mandarino da portarmi dietro. D'altronde ho lo stomaco talmente chiuso dall'ansia che digiunare mi viene quasi facile.

– Cos'hai? – chiede Dina, appoggiandosi al rullo in piedi, a braccia conserte. – È tutta la mattina che non dici una parola.

– Niente. Sono un po' tesa.

– È perché devi tornare a casa per le feste? Quando parti?

– Ma sei matta? Non ci penso nemmeno. No, le solite cose. Soldi. Non ti preoccupare, in qualche modo mi arrangio.

So che se potesse i soldi me li presterebbe lei. Ma è Natale, ha una famiglia, dei figli, e uno stipendio da fame. Non può, e io non glielo chiederei mai. È una di quelle persone che trovano sempre il modo di regalarti qualcosa di utile. Si china verso di me.

– Va' a casa, – dice. – Almeno là studi tranquilla.

– Scherzi? Non puoi mica restare sola. E poi tra poco torna Zanchetta.

– Va' a casa, t'ho detto. Riposati. Con Zanchetta ci parlo io. E mangia di piú, santoddio, ché sei pallida come una morta. Noi ci arrangiamo, siamo in due, chi altro vuoi che venga oggi pomeriggio? Chiudiamo alle cinque, non sono nemmeno tre ore. È la vigilia anche per noi, no?

Resto interdetta. Dina e io non ci conosciamo tanto bene. Siamo colleghe da un anno e condividiamo la frustrazione di un impiego malpagato e senza prospettive. Non ho mai capito dove trovi le risorse o la voglia per prendersi cura di me, però non è la prima volta che lo fa.

Oltretutto la sua è una pietosa bugia. La vigilia di Natale potrebbero entrare altre venti persone prima della chiusura, perfino in un posto desolato come questo. E Zanchetta detesta sostituirmi in cassa, quindi gliela farà pesare.

Però il suo sacrificio è un regalo cosí limpido e disinteressato che mi sembra immorale respingerlo. Quindi accetto con gratitudine, mi tolgo la divisa, la infilo nell'armadietto sul retro, e cinque minuti dopo sono in strada a respirare l'aria freddissima di dicembre.

2.

L'edificio è un villino liberty a due piani con una bi-
fora proprio al centro e un'altana che si stacca nel buio.
Magari di giorno fa un altro effetto. A quest'ora invece,
dopo il tramonto, la facciata scura con i mattoni a vista è
decisamente cupa.

Sul citofono c'è solo un cognome – Lepore – lo stesso
che compariva sulle bollette, quindi è una casa singola. Dovrebbe esserci qualcuno perché vedo due finestre accese,
una che dà direttamente sul giardino e un'altra al primo
piano. Nemmeno una parvenza di decorazione natalizia.

Ho fatto qualche giro in centro, poi mi sono decisa a
riportare il portafoglio oggi stesso. Visto che Dina mi ha
regalato un paio di ore libere, tanto valeva togliersi subito il pensiero. Venire qui domani, il giorno di Natale, non
mi sembrava il caso.

Suono. Qualche secondo dopo sulla pulsantiera del citofono si accende una luce che mi spara in faccia e mi fa sob-
balzare. Deve esserci una telecamera anche se non la vedo.

– Sí?

Ho un attimo di panico; ho camminato fino a qui presa
dai miei pensieri e mi accorgo ora che non ho preparato
un discorso ragionevole. Mi avvicino al citofono e faccio
la cosa peggiore, balbetto in modo sconnesso. Un po' come quando rispondo agli esami, cosa che mi capita perfino
nelle occasioni in cui mi sento preparata.

– Sí, buonasera, mi scusi il disturbo. Sono... mi chiamo Rosita Mulè. È per un portafoglio.

Nessuna risposta.

– Dovrebbe essere di una signora bionda che stamattina era sull'autobus e che è scesa in Riviera Tito Livio –. Che numero era?, mi chiedo mentre sento crescere l'agitazione, il 12 o il 5? Non ricordo, perché in centro fanno lo stesso tragitto e prendo sempre il primo che passa senza farci caso. – Credo che abbia subito un furto.

Ancora silenzio. Sbatto i piedi a terra perché comincio a sentire freddo qui fuori. Poi la voce femminile chiede brusca:

– Può essere. E allora?

– L'ho trovato nel cestino accanto alla fermata.

Forse crede che sia una che vuole intascarsi una ricompensa. Il pensiero mi disturba. Dovevo portarlo alla polizia evitando di mettermi nei casini. Però ormai sono qui, tanto vale andare fino in fondo. – I soldi non ci sono. Però c'è un documento, alcune tessere, e delle bollette. Ho pensato di riportarlo subito alla proprietaria. Il documento dice che abita a questo indirizzo e che si chiama... – apro la carta d'identità. – Larisa. Larisa Jarmolenko –. Un nome che sul citofono non c'è. – Magari lei sa come rintracciarla? Se preferisce glielo lascio nella cassetta della posta.

Il meccanismo scatta e il cancelletto pedonale si apre cigolando.

– Vieni alla porta, ti apro.

Entro e attraverso il giardino. Sulla soglia di casa compare la stessa donna che ho visto stamattina sull'autobus. La signora Jarmolenko, quindi. Che adesso sembra perfino piú slava di quanto ricordassi. Ha occhi azzurri e trasparenti quasi senza espressione, e aspetta a braccia conserte.

– Vuoi soldi? Quanto?

Avvampo. Dio solo sa se non ne avrei bisogno, e se non mi farebbero comodo anche pochi spiccioli. Ma non sono venuta qui per questo. Prima che riesca a rispondere, la voce della donna mi sovrasta di nuovo.

– Ti pago, va bene, però la cifra giusta! Non voglio rimetterci ancora! – e mi porge una banconota da venti euro. La fisso e considero l'offerta, cosa che mi dà l'esatta misura dell'angoscia che provo. Sto considerando l'idea di lucrare su un furto, sbavando per venti euro. Non posso evitare di fare il calcolo mentale: è quasi il quindici per cento di quello che mi serve, piovuto dal cielo, e in fondo sono arrivata a piedi fino a qui. Sarebbe cosí brutto se accettassi? Poi però la donna allontana la mano come se ci avesse ripensato e volesse ritirare l'offerta.

– E siamo sicuri che ci sono tutte le carte? O hai tenuto qualcosa e domani torni qui a chiedere ancora?

– Ma no! – le rispondo. – Cioè, non lo so. Non so se c'è tutto, forse dovrebbe controllare lei. In ogni caso non pensavo nemmeno che ci fosse una ricompensa –. «Zitta, idiota», mi rimprovero. Ma non riesco a fermarmi. – Volevo solo restituire il portafoglio, perché se l'avessi consegnato alla polizia sotto Natale sarebbe passato un sacco di tempo prima che lo riavesse. Davvero, mi sembrava la cosa giusta da fare. Guardi… – respingo la mano con i soldi, mi piange il cuore, ma se accettassi mi sentirei un'approfittatrice. Tiro fuori il portafoglio dallo zaino. – Eccolo. Non voglio niente, mi creda.

Si vede che in qualche modo la convinco delle mie buone intenzioni. Mia nonna lo diceva sempre che ho la faccia buona da pastora del presepio. L'espressione della donna non si addolcisce, ma almeno smobilita il tono palesemente aggressivo. Prende il portafoglio e verifica il contenuto. Poi alza gli occhi. Sembra piú tranquilla.

Non mi pare ci sia altro da aggiungere.

– Arrivederci, – dico, e mi avvio verso il cancello.

– Aspetta.

Mi giro. Lei mi richiama indietro con un cenno della testa.

– Vieni dentro, ti faccio un caffè.

La casa è buia e silenziosa. La porta dà direttamente su un ingresso molto grande, arredato con mobili che, per quel che posso capirne io, sono di antiquariato piuttosto costoso.

La donna entra dietro di me e butta il portafoglio su una consolle dopo aver tirato fuori il fascio di bollette.

– La cucina è in fondo a sinistra. Entra e siediti. Arrivo.

Parla un italiano pulitissimo, quasi senza accento. Se la sentissi al telefono non sospetterei nemmeno che è straniera.

Imbocca le scale ma si ferma subito, la mano sulla balaustra.

– Scusa se ti lascio sola, ho preso una sgridata forte. Non dovevo perdere le bollette.

– Non le ha perse. Le hanno rubato il portafoglio.

– Perché sono distratta. Sono andata in posta stamattina, dovevo lasciarle a casa prima di venire in centro. È pericoloso, me l'hanno già rubato due volte sull'autobus. Ma ero in ritardo, avevo delle commissioni da fare, e sono rimaste in borsa. Non importa. Faccio in fretta e poi beviamo il caffè in pace.

Sale velocemente, sento che bussa con le nocche su una porta in cima al pianerottolo.

Mi guardo in giro intimorita, questo non è il genere di posto pensato per farti sentire a tuo agio.

L'anticamera affaccia su un grande salone buio a cui si accede da un ingresso ad arco. Riesco a intravedere il pro-

filo dei mobili perché la stanza dà sul giardino, le imposte
e le tende sono aperte, e la luce che filtra dai lampioni illumina appena l'interno.

In fondo c'è qualcosa di massiccio, probabilmente un
pianoforte. Di fronte, un camino con una cornice in marmo. Ovunque sono sparsi divani, poltrone, chaise-longue.
La tappezzeria è scura e spessa, forse damascata.

È bello, ma privo di vita. Mi sono sempre chiesta come
si fa ad abitare in una casa dove non ci si può immaginare
in tuta e calzettoni, stravaccati sul divano, senza provare la
sensazione di commettere un sacrilegio estetico.

Vado in cucina e mi siedo ad aspettare che torni la donna.

Cinque minuti dopo è lí. Sembra molto sollevata.

– Tutto a posto, – dice passandomi accanto e sfiorandomi la spalla con un gesto involontario. – Sei stata gentile a venire. Abiti vicino? – e intanto mette su la moka.
– Caffè italiano, – aggiunge prima che abbia il tempo di
rispondere, mostrandomi il barattolo, come per dire che
sulle cose importanti non si scherza.

– Non vicinissimo, al Ghetto, però non vengo da lí.
Arrivo dal centro.

Lei si concentra, inquadrando mentalmente la zona.

– Il Ghetto mi piace, – annuisce. – Elegante.

Io penso che il palazzo dove vivo cade a pezzi, infatti
ci sono solo studenti con pochissime risorse e ottuagena-
ri indigenti, ma non glielo dico perché ammetto che ha il
suo fascino decadente.

– Però la sera è rumoroso, no? – continua lei. – E le
strade sempre troppo strette. Non sai mai dove mettere
la macchina. Tu guidi?

– Sí, ma non ho un'auto. Non me la posso permettere.
Faccio fatica a mantenere anche la bicicletta. Me ne rubano una all'anno e devo aspettare un sacco di tempo pri-

ma di riuscire a prenderne un'altra. Sono senza da quasi nove mesi.

La donna si siede di fronte a me, appoggia i gomiti sul tavolo e intreccia le dita. Non sorride, ma annuisce con comprensione, come se si trattasse di un problema che conosce bene. – Sei senza soldi. E allora dovevi accettare quelli che ti offrivo. Potevi metterli da parte per comprarne una nuova. Oppure usata.

«Non è la bicicletta il mio problema», penso con malinconia.

Sento un rumore dietro di me. Lei alza gli occhi e guarda oltre le mie spalle. Mi volto. C'è un uomo sulla soglia, piuttosto alto. Mi sorride.

– Quindi, se capisco bene, questa giovane signora rifiuta il denaro. Ha riportato il portafoglio per un atto di generosità disinteressata.

A un primo sguardo sembra di mezza età. Poi fa un passo avanti, sfiorando la periferia del cono di luce della lampada, e lí mi accorgo che deve averla superata da un pezzo. Appena stempiato, ha i capelli bianchi e un'aria leggermente arcigna, o forse solo annoiata. In una casa simile si fa presto a immaginare persone tristi e malinconiche. Emana una solidità che potrebbe essere quella di un uomo molto piú giovane se solo le rughe non fossero cosí evidenti. Non può avere meno di settantacinque anni.

– Tutto quello che accetta in cambio è il tuo caffè, Larisa, – continua lui venendo verso di me, – che non mi pare il modo migliore per ringraziarla.

Sorrido di rimando, un po' sorpresa. Fino a un momento fa avrei giurato che la Jarmolenko fosse una badante, però ora ho dei dubbi, perché è chiaro che quest'uomo non ne ha alcun bisogno. Forse in casa vive anche qualcun altro. Magari una moglie con demenza senile. Di sicuro lei

non incarna il cliché della slava in minigonna col plateau
di dodici centimetri che intorta anziani sprovveduti. E lui
del resto pare uno che non si farebbe intortare da nessuno.

– Il mio caffè non è cattivo, – dice la donna mentre si
alza per tirar fuori le tazzine.

– Il tuo caffè è tremendo, Larisa. Ti ostini con quella
moka che ha le guarnizioni bruciate, da cui esce solo brodo
nero affumicato. Però sono quasi sicuro che la signora non
te lo dirà, perché sembra una persona gentile –. E si ferma
accanto a me, guardandomi dritto negli occhi, dall'alto in
basso, quasi volesse insinuare che l'affermazione dubitati-
va è retorica, che non gli serve nessuna conferma; o come
se sapesse benissimo che nessuno mi chiama mai signora,
e la cosa mi fa un certo effetto.

Dovrei rispondere, ma non mi viene in mente nulla che
non suoni scontato.

– Il caffè fa sempre piacere. Insomma, – esito, – quasi
sempre, con questo freddo.

– Ecco, vedi? – fa lui rivolgendosi alla donna. – «Quasi sempre». Perfino lei, cosí cortese, comincia a fiutare il
pericolo.

La slava gli dà le spalle, sembra innervosita. Potrebbe
essere un innocuo battibecco tra loro. Oppure si odiano a
morte. Tutte e due le ipotesi sarebbero plausibili.

– Almeno io ho offerto qualcosa. Conta il pensiero.

Lui fa una risatina bassa, insolente. Si diverte da solo,
senza nessun particolare desiderio di coinvolgerci. Deve
essere una persona abituata a fare considerazioni fra sé e
sé. Forse non ama la compagnia.

– Si può sempre fare affidamento sul tuo acume sentenzioso, Larisa. Il buon senso però non migliora il sapore
del caffè. Ascolti il mio consiglio –. Si rivolge a me por-
gendomi la mano destra in attesa che mi presenti. Io gliela

stringo e lui la chiude nelle sue sovrapponendo la sinistra, in un gesto di intimità che mi sorprende.

– Rosita Mulè, piacere.

– Ludovico Lepore, – risponde. Fa una pausa, poi aggiunge: – Venga di là con me. Non mi piace ricevere ospiti in cucina –. E solo allora lascia la mia mano scivolare fuori dalle sue. – Ci tengo a ringraziarla, – continua, – sarebbe stato seccante perdere quelle bollette. Erano mie. Il caffè può berlo lo stesso a suo rischio. Larisa ce lo porterà in salotto. Non ti dispiace, vero? – chiede alla donna.

Lei, che è ancora intenta a tirare fuori le tazzine dalla credenza, fa un'alzata di spalle. Lui la sta tagliando fuori senza molto garbo, e forse alla donna non sarebbe dispiaciuto fare quattro chiacchiere con me. Faccio un ultimo tentativo per rimanere in cucina.

– Non so se è il caso, – dico, – mi sento già un'intrusa. È la vigilia di Natale.

– La vigilia di Natale per me è un giorno identico agli altri. Il calendario liturgico mi è indifferente. E Larisa non è nemmeno cattolica.

In fondo la curiosità di vedere quel salone ce l'avevo fin dall'inizio, cosí finisco per accettare.

In quel momento però mi squilla il telefono. Apro lo zaino e comincio a rovistare tirando fuori di tutto senza trovarlo. Il manuale di Fisiologia mi sfugge dalle mani e cade a un centimetro dai piedi di Lepore. Lui lo raccoglie e lo appoggia sul tavolo. Finalmente riesco a recuperare il cellulare.

Guardo il display: mia madre. Ero sicura che fosse lei. Ha un radar per captare le situazioni peggiori, anche perché chiama di continuo, quindi la statistica è a suo favore. Lepore però mi fa un gesto indulgente come per dire: prego, risponda pure.

– Mamma, possiamo sentirci piú tardi? Ho da fare.

– Potremmo, sí, – mi risponde lei con un tono da ome-
lia, – se tu avessi la cortesia di richiamare. Invece la sera
spegni il cellulare, e quando lo riaccendi sei al lavoro, dove squilla a vuoto per ore.

– Andiamo, non è vero! Mi pareva… Sí, scusa, non ci
siamo sentite ieri?

– Era giovedí, e ti avevo chiesto una risposta.

Che giorno è oggi? La vigilia, d'accordo, ma che giorno
della settimana, e quanto è trascorso da giovedí? E una
risposta a cosa?

Presa alla sprovvista non riesco a ricordare, e so che
questa è già un'ammissione di colpa.

– Senti, adesso non posso parlare.

– Ma ci hai pensato almeno?

Cerco ancora di ricordare ciò che avevamo negozia-
to – partendo dall'assunto che se non ho detto di sí già
all'epoca vuol dire che è una cosa che non ho nessuna
voglia di fare – ma sono distratta da Lepore, che guarda
con molto interesse il mio libro di Fisiologia appoggiato
sul tavolo e sfiora la copertina.

Mia madre intanto sbuffa per l'attesa.

– Ti sei dimenticata, dimmi la verità. Il cugino di Giuseppe, ti ricordi? Quello che sta a Vicenza. Domani mattina parte alle cinque e mezzo, e può passare a prenderti
alle sei, sei e un quarto al massimo. Vi mettete in macchina senza correre, e per le due siete qui. Cosí il pranzo di
Natale lo facciamo insieme, e risparmi anche i soldi del
biglietto. Ce l'hai il cellulare? Te lo lascio?

Tornare a casa è la cosa che odio di piú al mondo. Mi
fa sentire vulnerabile, infelice e prigioniera. Perché lí tutti mi conoscono, ed è impossibile sfuggire all'ombra lunga
di quello che gli altri pensano di sapere su di me. Dover-

lo scontare oltretutto con sei o sette ore di viaggio seduta accanto al cugino di Giuseppe, è un'idea che non riesco a sopportare.

Si chiama Rocco. Ha qualche anno piú di me. È uno che parla di sé in terza persona, ininterrottamente, senza mai chiederti nulla, come se al di fuori della sua logorrea non ci fosse niente di interessante da ascoltare.

Quando eravamo piccoli approfittava di ogni canizza di paese fra ragazzini per infilarmi la lingua in bocca. Non era perché gli piacevo, sceglieva me solo perché tra tutte ero la piú piccola e magra, la piú indifesa. Sapeva che non sarei riuscita a impedirglielo.

Ha gli occhi da topo e le labbra gonfie, viscide. Dovevo lavarmi col sapone per cinque minuti di fila per riuscire a togliermi di dosso l'odore della sua saliva. Ha continuato finché non ho compiuto sedici anni. Gli ultimi tempi cercava anche di infilarmi le mani sotto le mutandine, ma a quel punto ero cresciuta, ho iniziato a difendermi sul serio, e ho fatto molta attenzione a rimanere fuori tiro. Poi per fortuna è andato a lavorare al Nord.

Adesso che siamo grandi fa finta che certe cose non siano mai successe, o che comunque non fossero gravi. Sono certa che se provassi a rinfacciarglielo mi direbbe che si vedeva lontano un chilometro che mi divertivo quanto lui.

Non voglio andare a casa, e di sicuro non voglio farlo con Rocco, e non so come ripeterlo a mia madre. Ogni volta che provo a spiegarle perché – dicendole solo una piccola parte della verità, quella che ritengo possa sopportare senza aggredirmi – sembra che capisca. Poi alla prima occasione resetta tutto e riattacca da capo.

Mi caccia sempre in un labirinto mentale di cui non riesco a trovare l'uscita. Non mi ascolta mai davvero. Dà per scontato che i fatti che mi riguardano e che comportano delle scadenze – i miei esami, ad esempio – siano molto più volatili della sua opinione personale, dei suoi sentimenti e soprattutto dei suoi desideri.

Lepore intanto si allontana e mi indica che aspetterà di là. Uscendo mi fa un mezzo sorriso, un piccolo attestato di simpatia che mi fa sentire compresa, come se avesse capito con chi ho a che fare, e quanto è importante per me difendermi.

– Senti, ti prometto che appena mi libero ti telefono e ne parliamo. Però davvero non so se è una buona idea. Ti ho detto dell'appello di febbraio, no? Ho pochissimo tempo per studiare. Comunque ti chiamo fra poco, va bene?

Naturalmente non va bene. Lei approfitta del mio imbarazzo, che indovina con facilità, per estorcermi un impegno formale, e cerca di tenermi appesa passando dalla rabbia alla voce incrinata, dalla reprimenda alla lagna passivo-aggressiva.

È solo la leggera tensione che provo all'idea dell'uomo che mi aspetta nell'altra stanza a darmi la forza per riattaccare.

La Jarmolenko intanto sta versando il caffè nelle tazzine. L'odore in effetti non è invitante. Seguo la donna che mi precede in salone e accende la luce con un gesto goffo del gomito, facendo tremare appena il vassoio.

La stanza si illumina in modo tenue, ci sono pochi e discreti abat-jour lungo le pareti. Il salone esce dalla penombra, e quello che non distinguevo si rivela proprio come l'avevo immaginato. Barocco, formale, disabitato.

La donna appoggia il vassoio su un tavolino da caffè e se ne va. Mi sento in colpa. È ovvio che ormai il datore di lavoro le ha rubato la scena. Mi fa tenerezza.

Però non mi dispiace fino in fondo, perché lui mi incuriosisce. Lo cerco in giro per la stanza e non lo vedo.

Mi avvicino al pianoforte, e accanto alla porta finestra noto un piedistallo con un piccolo busto in marmo che attira la mia attenzione. È una giovane donna che indossa una tunica fissata al petto da una fibbia. Ha i capelli sciolti sulle spalle, la bocca leggermente aperta, gli occhi appena socchiusi. Una creatura delicata e incorrotta, una minuscola divinità familiare. Ho sempre amato questo genere di decorazione privata, fatta per i piccoli ambienti. Mi catapulta nel passato. Com'era vivere in quell'epoca, e appartenere a una classe sociale che non comportava obblighi di sopravvivenza di nessun tipo, a parte cambiarsi d'abito, divertirsi e mangiare? Le sfioro il profilo con le dita e proprio in quel momento Lepore ricompare alle mie spalle.

– Le piace? È madame du Barry.

Immagino che dovrei sapere chi è madame du Barry. Mi evoca qualcosa *ancien régime*, anche se non riesco a focalizzare con precisione. Lui mi toglie dall'imbarazzo.

– L'ultima amante di Luigi XV. Una scalata sociale impressionante. Da tenutaria di bordelli eleganti a *maîtresse-en-titre* del re di Francia. Non che Versailles fosse una corte di novizie, anzi. Era un palazzo pieno di puttane –. E sorride con amabilità mentre io trasalisco appena, perché da un uomo simile non mi aspettavo un termine esplicito. – Ma erano cortigiane di Stato, nate con un titolo e una posizione. Non erano sul libero mercato, diciamo cosí, e credevano che questo facesse la differenza. Lei invece, prima di arrivare a corte, era stata solo una piccola borghese molto furba che veniva dalla provincia e aveva un gran talento nel vendersi. Sveglia, molto bella, veloce a ripulirsi, ma pur sempre una professionista, ed era una cosa che nessuno le perdonava –. Distoglie lo sguardo e di nuovo sorride. – Però se non le interessa me lo dica subito, perché su certe faccende tendo a diventare verboso.

– Al contrario. La storia mi piace moltissimo, specie le biografie. Per favore, continui.

Lui getta uno sguardo verso la cucina, come se volesse insinuare: «Laggiú non si sarebbe divertita cosí».

– A leggere le cronache dell'epoca è divertente vedere fino a che punto si spingeva l'ipocrisia. Le cortigiane avevano tutte le stesse abitudini. La differenza stava solo nel fatto che possedevano un titolo nobiliare piú antico di quello della du Barry, probabilmente ottenuto da un'antenata per le stesse ragioni per cui lo guadagnò lei. La disprezzavano, eppure avrebbero dato qualsiasi cosa per rubarle il posto. È cosí che funziona il mondo, vero? Giustifichiamo la nostra miseria con un retrogusto di nobiltà che non riconosciamo negli altri.

– Immagino di sí, – rispondo, – o almeno era cosí allora. Magari oggi è diverso.

Cambia espressione. Mi pare deluso.

– Lei dice? Io non sono d'accordo. Non vedo nessuna conversione di sostanza. L'arte di vendersi implica ancora una bella dose di mistificazione. C'è sempre una scusa di facciata per certe strategie. Che serve solo a nascondere il fatto che puntiamo alla sopravvivenza e che siamo disposti a qualsiasi cosa pur di ottenerla. Lei invece, – si gira di nuovo verso madame du Barry, – era migliore di altre. Ingenua fino all'esasperazione, ai limiti della stupidità. Però non finse mai di essere qualcosa di diverso dalla prostituta che era.

– E com'è finita? Voglio dire, un'amante non dura mai molto, vero? – Mando giú un piccolo nodo di tristezza.

– È sopravvissuta al re, era molto piú giovane. Suppongo che lui la amasse davvero, perché la lasciò ben fornita. Lei credeva di essere al sicuro e invece giocò male le sue carte. È morta sulla ghigliottina dopo l'inizio della Rivo-

luzione, a poco piú di cinquant'anni, urlando come un'oca.
Perse l'occasione di dare prova di dignità, – aggiunge leggermente stizzito, come se davvero lo considerasse un
peccato mortale per una che in fondo trovava simpatica.

Io penso invece che in cima a un patibolo non devono
essere molti quelli a cui interessa simulare l'eroismo.

Senza preavviso, Lepore si mette a parlare d'altro.

– Quindi lei studia Medicina?

La mia allegria svapora in un momento. Sono sempre
imbarazzata quando mi fanno questa domanda. Implica
dare conto di risultati che non ho mai raggiunto. Magari
uno si aspetta di sentirmi sciorinare l'agiografia della studentessa perfetta: un certo numero di esami, una stanza in
un collegio universitario e una borsa di studio all'altezza
di una vita decorosa. Tutte cose che non ho piú.

Le avevo quando sono arrivata qui, ma le ho perse una
dopo l'altra e solo per colpa mia. La verità è che da due
anni ho smesso di frequentare le lezioni perché non riesco a farle coincidere con i turni allucinanti che devo rispettare al lavoro, e occupo una stanza piccola e umida in
un appartamento all'interno di un casermone di sei piani.
Me la lasciano usare a un prezzo che è la metà del valore
medio di una stanza a Padova, solo perché mi occupo delle pulizie di tutto lo stabile, una settimana sí e una no, e
mi è stato fatto capire con chiarezza che devo comunque
considerarlo un favore. Ero indietro con gli esami anche
due anni fa, ma adesso il quadro è disastroso. In queste
condizioni la media dei miei voti è precipitata, e al punto
in cui sono è la cosa che mi preoccupa meno. Quello che
mi angoscia davvero, invece, è il debito di centocinquanta
euro con il padrone di casa. Ho già preso lo stipendio di
dicembre e anche rinunciando a mangiare non c'è verso
di metterli insieme. E mi sono fatta scrupoli ad accettare

venti euro di ricompensa, l'idiota che sono. Come se fossi una che può permettersi il lusso di scegliere.

Quando qualcuno mi fa questa domanda, quindi, mento. O comunque ometto qualche particolare essenziale. Gratto via lo strato di sporco piú visibile e spero che non si noti niente sotto il tappeto. In genere ci riesco facilmente perché è raro che qualcuno si interessi a me, al di là delle domande di circostanza. Il privilegio dell'anonimato è che, se hai qualcosa da nascondere, fai pochissima fatica per sottrarti alla curiosità degli altri.

– Sí, studio. O almeno ci provo e cerco di fare del mio meglio. Qualche volta è complicato –. Spero che capisca che non ho nessun desiderio di approfondire.

Mi invita ad accomodarmi sul divano, lui si siede sulla poltrona di fronte a me e mi porge la tazzina.

– La sua ultima occasione di rifiutare. Larisa non se ne accorgerà. Io finisco per buttarlo quasi sempre in giardino, dietro al salice. Posso farlo anche con il suo.

Porto la tazzina alle labbra. Non è cattivo come temevo.

– Allora, avevo ragione o no?

– Pensavo peggio.

Sorride. Magari mi sta prendendo in giro.

– Sapevo che avrebbe risposto cosí. Lei è la persona gentile che sembra, e non mi riferisco soltanto ai modi. La buona educazione è sempre piú rara ma, diciamoci la verità, di per sé è un minuetto senza sostanza, alla portata di qualunque idiota che abbia ricevuto un'istruzione elementare. Ma lei no, lei ha gentilezza d'animo. È capace di fare un bel pezzo di strada a piedi, la vigilia di Natale, per un portafoglio, – e annusa con vago disgusto la sua tazzina, – oppure di negare l'evidenza di un pessimo caffè per non offendere la sensibilità di una sconosciuta, – e fa un cenno in direzione della cucina. – È una cosa che non mi

capita di pensare spesso. Il candore è una condizione piuttosto rara negli ambienti che frequento.

Esita ancora con la tazzina in mano, la solleva verso di
me come se volesse brindare. – Se ce l'ha fatta lei, io non
posso deluderla, – e manda giú il caffè in un unico sorso.

Poi appoggia la tazzina sul tavolo, la allontana fin dove
riesce ad allungare il braccio, e mi guarda dritto negli occhi.

– Adesso voglio sapere tutto, – dice.

– Tutto cosa? – tentenno, spaesata.

– L'università, la sua vita, il lavoro. Siamo rimasti alla
superficie delle cose, non mi ha ancora detto niente di serio. Qui non viene mai nessuno e io sono un vecchio che
si annoia. Per studiare è arrivata da lontano, quindi immagino sia importante. Lei dev'essere del Sud.

Mi illudo sempre di parlare un italiano molto pulito, che
poi è l'unica eredità di cui sono grata a mia madre. Non
ha mai tollerato l'uso del dialetto in casa, o le espressioni
inappropriate. In genere si intuisce che non sono veneta,
però nessuno riesce a definire una provenienza precisa.
Una cosa che mi piace. Va a beneficio della mia vocazione
all'anonimato. Lui invece l'ha capito lo stesso.

– Sono di un piccolo paese vicino Caserta, – sospiro.

Che è una definizione riduttiva. Non è solo piccolo, e
comunque non è quello il problema. È un piccolo, triste,
malinconico paese, che solo a pensarci mi scatena un attacco d'ansia, forse perché incombe sul mio futuro come
una galera. Se le cose continueranno ad andare male, non
avrò alternativa se non tornare in quel buco soffocante da
cui sono evasa a stento.

Esito. È la vigilia di Natale e sono in casa di uno scono-
sciuto che con ogni probabilità non vedrò mai piú in vita
mia dopo stasera. Mi ha fatto una domanda intima che riguarda una questione delicata. Potrei far finta di niente, lo

faccio sempre, prendere le distanze da questo argomento
che fatico ad affrontare, finire il mio caffè e allontanarmi
senza pensarci piú.

– Lei ha un'aria molto malinconica. Ha qualche amico
qui a Padova?

Cosa fa, legge nella mente? Da quando vivo in questa
città sono sempre stata sola. Non ho contatti con nessuno, a parte quelli essenziali. Non prendo mai l'iniziativa
perché mi sembra di non avere niente da offrire, e perché
non posso permettermi di spendere un euro per andare
fuori la sera o nei fine settimana. Le mie coinquiline sono
ragazze gentili, ma in genere cambiano ogni sei mesi. Non
c'è mai occasione di stringere un rapporto.

È tanto tempo che nessuno si interessa a me, e anche a
casa nessuno lo faceva mai per sincera curiosità, era solo
un modo per impicciarsi dei fatti miei.

La sollecitudine di quest'uomo, cosí diversa da quella
manipolatoria di mia madre, mi commuove. Cosí mollo le
difese e gli racconto tutto per filo e per segno, a partire dal
momento in cui sono arrivata qui piena di speranza e convinta di essere ormai salva, fino a quando ho perso la borsa
di studio e il collegio, e mi sono trovata in un vicolo cieco.

Mentre chiacchiero mi rendo conto che voglio piacergli.
Allora faccio uno sforzo per non apparire una derelitta.
Provo a divertirlo con la cronaca della propaganda intimidatoria di mia madre, che non capisce perché mi rifiuto di
stare a casa, oltretutto impegnata in un progetto in cui è
convinta che non riuscirò mai. E gli racconto la battaglia
che ho dovuto fare per entrare in possesso dei quattro soldi che mi ha lasciato mio padre prima di morire, e che lei
vorrebbe usassi per qualcosa di concreto. Dello stipendio
non mi avanza un centesimo e quello è l'unico fondo da
cui posso attingere per pagarmi le tasse universitarie. Riu-

scirò a coprirle per qualche anno ancora, e se mi impegno potrei arrivare a laurearmi, però certo ci vorrà un miracolo. Di sicuro non tocco i soldi del conto postale per pagare il debito con il padrone di casa. Perché fino a quando lí rimane qualcosa posso continuare ad avere una speranza.

Il debito è l'unica cosa di cui non gli parlo. Potrebbe pensare che voglio estorcergli un prestito. E poi qualsiasi oggetto in questo salotto costa almeno cinque volte tanto, non capirebbe nemmeno il problema.

Lui mi ascolta senza interrompere e non mi dà mai la sensazione di annoiarsi. Se rallento si sporge in avanti e mi invita con delicatezza a proseguire. Mi offre un silenzio partecipe senza ammiccamenti o giudizi, e mi risparmia le valutazioni scontate e le frasi di circostanza. Il suo ascolto rispettoso mi fa sentire accolta.

Per una volta non mi vergogno di essere il disastro che sono. Il che non è del tutto vero. Mi vergogno anche di fronte a lui. Solo che invece di nascondermi, oppure dissimulare, condivido il peso con qualcuno, lo scarico dalle spalle per qualche minuto e tiro il fiato. So che non è un'assoluzione, è una piccola pausa, che non cambierà il corso delle cose però mi alleggerisce l'anima.

Quando concludo mi prende la tazzina vuota dalle mani e la mette via.

Si appoggia con la schiena alla poltrona e unisce le dita sotto il mento, in un gesto che sta a metà fra una preghiera laica e il puntello per una riflessione profonda. Dopodiché fa un sospiro e dice:

– Mi ci lasci pensare.

3.

Nel palazzo c'è un leggero aroma di tabacco da pipa. Me ne sono accorta salendo di corsa la prima rampa di scale con il cuore in gola perché sono troppo impaziente per aspettare l'ascensore. L'odore della pipa lo riconosco subito, è l'unico ricordo che riesco ad associare a mio padre, e a parte questo di lui non mi resta granché.

C'è qualche foto a casa, ma non molte. Mamma dice che quelli erano altri tempi, senza tutta questa ossessione narcisista per la propria immagine. Non sono sicura che sia la verità, però. Magari è stata lei a farle sparire. Un'epurazione controllata sarebbe una cosa piú nel suo stile. Sta di fatto che le uniche foto rimaste sono quelle ingessate, ufficiali.

Il servizio fotografico del matrimonio, per esempio. Da lí viene la foto nella cornice d'argento sul trumeau del salotto. O quella sul comodino accanto al letto, dove mio padre indossa la divisa da cerimonia e tiene il cappello sotto l'ascella. Ce n'è una, dentro la vetrina dell'argenteria, in cui ha un abito elegante e i baffi neri alti due dita come nelle caricature del terrone. Attaccata al suo braccio si vede mia madre con un vestito bianco a fiori neri, la borsetta stretta al petto, e un'espressione costipata.

Nessuna di queste fotografie è stata scattata dopo la mia nascita. Questo è un padre con cui non ho mai condiviso nulla.

Del resto nemmeno guardando le foto riesco a rievocare il suo viso. In mancanza di altro mi sono sempre attaccata all'unica traccia che mi resta, quella olfattiva, anche se non mi capita di sentirla quasi mai, perché fumare la pipa è un'abitudine passata di moda.

Mi basta inspirarla anche solo un secondo perché cominci a srotolarsi un gomitolo di memorie che ha un'impronta inconfondibile. La sensazione di essere sollevata da terra, perché era quello il momento in cui mi avvolgeva l'odore del tabacco. Mi prendeva in braccio e mi portava alla finestra a guardare la gente che passeggiava sul corso. Avvertivo il riflesso della luce calda attraverso il vetro che riempivo di ditate, e la forza di una presa solida che mi teneva al sicuro. Appoggiava una mano all'altezza del mio cuore e mi chiudeva in un nido di potenza e tenerezza.

In una situazione diversa mi concederei il lusso di sedermi su una panchina a coltivare i ricordi, ma oggi vado di corsa, e ormai sono già al terzo piano. Guardo la targhetta ovale sulla porta per essere certa di non sbagliare. È quella giusta. C'è scritto «Avvocato Ludovico Lepore».

Ho scoperto qual è il suo lavoro due giorni fa, quando la Jarmolenko è venuta a cercarmi al supermercato, prima che prendessi servizio per il turno pomeridiano, che mi avevano cambiato come al solito all'ultimo momento, costringendomi a uscire di corsa lasciando un capitolo a metà. L'ho notata da lontano appena svoltato l'angolo, e anche se era passata qualche settimana l'ho riconosciuta subito. Faceva avanti e indietro di fronte al negozio.

Quando mi sono avvicinata mi ha salutata in modo asciutto, tirando fuori la mano dalla tasca per poi rinfoderarla velocemente, e non ha perso tempo. Mi ha chiesto del mio primo pomeriggio libero, poi mi ha dato appuntamento qui per oggi, in pieno centro, in un palazzo di rappresentanza dove ci sono solo studi notarili e uffici contabili con le porte a vetri.

– Come fate a sapere che lavoro qui? E poi un appuntamento per cosa? – ho chiesto scettica, e francamente anche un po' spaventata.

– Non lo so. Forse l'hai detto tu quando sei venuta a casa.

Ci penso, e mi torna in mente che in effetti ne avevo parlato con Lepore. Lui aveva detto di aver presente la zona.

– L'avvocato ha una proposta per te. Forse un lavoro. Ma a me non dice mai niente, è meglio se parli con lui.

Non sapevo cosa dire. Ero convinta che non avrei piú rivisto né lei né Lepore. Forse ho fatto un gesto carino, una gentilezza non scontata di questi tempi, ma davvero niente di eroico.

Non so nemmeno dire se lui mi sia davvero piaciuto, e non ci ho piú pensato da quando sono uscita da quella casa due settimane fa. Non mi sembrava il genere di persona da cui aspettarsi un atto di generosità, figuriamoci un lavoro. È meglio essere prudenti, nessuno ti regala mai niente.

Ormai ho sviluppato una sorta di automatismo. Appena sento qualcosa che potrebbe passare per una bella sorpresa, la disinnesco all'istante come un artificiere. Non c'è verso che riesca a fregarmi, anche se sono ingenua, forse perfino stupida. È facile per me cedere distrattamente all'idea del colpo di fortuna. Ma proprio perché mi conosco, appena avverto quello strano formicolio – come se il corpo avesse voglia di scuotersi senza uno scopo preciso, per il solo gusto di celebrare un evento con un potenziale – mi impongo di restare con i piedi per terra. Ho imparato a essere molto prudente, la delusione ti uccide.

Quando la Jarmolenko mi ha parlato di lavoro l'ho sentito benissimo. Un leggero sobbalzo interiore, una larva di

speranza che si è agitata e che ho subito schiacciato. Perché
poi questi due chi li conosce? Come so che mi posso fidare?

– Ah, è un avvocato? – ho chiesto.

La donna ha annuito. – Molto bravo, – ha aggiunto quasi con fervore, come se per me facesse qualche differenza.
– Anche se adesso lavora poco. È anziano.

Però volevo mostrare un po' di dignità, cosí ho resistito.
– In che senso un lavoro per me? Io ce l'ho già, un lavoro.

La Jarmolenko ha guardato verso le vetrine del supermercato senza nessuno sforzo per nascondere la sua perplessità, ma non ha fatto commenti.

Ha detto solo: – Credo che puoi andare a sentire. Questo posto qui non è molto bello, no?

Perfino lei, che non ci ha mai messo piede e lo guarda
dalle vetrine, capisce benissimo che è un negozio fetente,
e ha ragione. Non ho niente da perdere.

Infatti oggi sono di fronte allo studio con la targhetta in
ottone che dice «Avvocato Ludovico Lepore». E visto che
ormai ci sono, allungo l'indice e schiaccio il campanello.

Prima che l'interruttore scatti automaticamente, ho
appena il tempo di rendermi conto che l'odore di tabacco
ora si sente piú forte. Poi apro la porta e ne ho la certezza: viene proprio da qui.

Sto aspettando da mezz'ora in sala d'attesa. Le riviste
ordinate sul tavolino hanno a che fare con la giurisprudenza e con la fiscalità delle imprese, tutti argomenti verso i
quali non ho il minimo interesse.

Prendo in mano il cellulare per accertarmi di averlo si-
lenziato. Trovo la notifica di una chiamata di mia madre
che devo aver perso nel rumore del traffico.

Da quando il mese scorso è riuscita a incastrarmi per
scendere a Natale è diventata ancora piú insistente. Chia-

ma di continuo. Ho fatto malissimo ad accontentarla tornando qualche giorno. Ormai dovrei avere imparato che ogni punto che cedo lo pago caro.

La trasferta è stata un incubo. Prima il viaggio accanto a Rocco che pontificava sull'universo scibile. Poi due giorni trascorsi ininterrottamente a tavola migrando da una casa all'altra del paese e delle sue frazioni. Due, anche tre volte al giorno, come un pellegrinaggio alimentare che mi ha avvelenato l'unica cosa buona che c'è dalle mie parti, il cibo. Perché a casa mia i pasti vanno sempre insieme al catechismo familiare, specie quello degli anziani verso i piú giovani, per quanto ormai non è raro che pure i miei coetanei sentano di avere qualcosa da insegnarmi. In ogni caso tutti devono dire la loro, e di solito coincide con quello che pensa mia madre. È come se lei trasmigrasse nel corpo di ogni membro della famiglia. Invece che con una devo vedermela con cento.

«Non ti senti sola lassú?» Lassú sarebbe Padova. Il Nord.

È la suprema litania. Non è una domanda, è un mantra, sperano che faccia effetto a forza di ripeterlo. Le sorelle di mia madre me lo chiedono ogni giorno, mentre mi passano i piatti del dolce che io distribuisco intorno alla tavola. «Certo che mi sento sola, – penso, – qui però è peggio. Lí almeno so che in qualche modo ce la posso fare, e che non sarà cosí per sempre. Qui posso solo diventare uguale a voi».

Ma è chiaro che dirglielo è impensabile, e poi io non sono mai stata una che sbatte in faccia la verità. Non mi piace alzare la voce, e detesto il rimbombo emozionale come arma di sottomissione. L'unica scelta che mi rimane è il silenzio, testa bassa e assenza di contraddittorio, che mi costringe a mandare giú la rabbia insieme con il cibo, e che mi intossica il sonno e la digestione.

Il 27 dicembre, sulla banchina accanto al treno che doveva riportarmi a Padova, in attesa di partire, mia madre
non voleva lasciarmi il braccio. Anche lí si è fatta accom-
pagnare dalle zie, che annuivano con tanto d'occhi a ogni
cosa che diceva. La disapprovazione familiare mi circon-
dava densa come un fluido.

«Cosa ti manca qui?»

«L'aria. Mi manca l'aria», pensavo. Un'altra cosa che
non potevo dire. E poi ho imparato molto tempo fa che la
risposta a quasi tutte le domande che mia madre mi rivolge
in realtà non le interessa. Solo per abitudine, o per buona
educazione, esprime il concetto in forma interrogativa, la
piú efficace a sollecitare il senso di colpa.

In qualche modo sono riuscita a divincolarmi dalla sua
stretta. La forza della disperazione, credo. Finalmente
quando il treno ha preso a muoversi sulle rotaie la tensione si è sciolta. Mi sentivo un evaso che semina gli inseguitori.

Per distrarmi mi concentro sulla sala d'aspetto dell'avvocato.

Mi diverte osservare gli altri senza essere notata, però
mi sento un po' fuori luogo. Ho cercato di vestirmi in modo appropriato, immaginavo che uno studio legale in centro
fosse un ambiente di un certo livello, e poi bastava fare le
dovute proporzioni con la casa che ho visto tempo fa. Solo che non mi aspettavo fosse cosí elegante.

La facciata del palazzo è piuttosto sobria. All'interno
invece è pieno di oggetti di antiquariato dello stesso genere di quelli che ho visto in casa di Lepore, per non parlare
dei tappeti. Ne sto calpestando uno che è grande quanto il perimetro della stanza, e la stanza potrebbe ospitare
venti persone comodamente sedute in poltrona. Perfino
attraverso le scarpe percepisci la finezza del tessuto.

Finora ho visto girare un paio di donne. Sembrano segretarie. Quella seduta alla scrivania all'ingresso mi assomiglia un po'. All'incirca ha la mia età, però a differenza di me ha i capelli lunghi e ondulati e una sorta di divisa d'ordinanza: camicia bianca, gonna nera appena sopra il ginocchio, e décolleté scure e discrete. Le manca solo il badge appuntato sul petto per sembrare una hostess a un convegno.

L'altra invece, che deve avere una decina di anni in piú, gira per lo studio come se volesse incidere le sue impronte sul legno scuro del parquet.

È molto alta, con i tacchi supera di sicuro il metro e ottanta. Ha un modo di ignorare tutto quello che la circonda che incute una certa soggezione. Non incrocia lo sguardo di nessuno, e quando si rivolge alla collega le dà indicazioni secche a bassa voce continuando a tenere gli occhi fissi sul foglio che ha in mano. Non si distrae mai da una sorta di intensa concentrazione. Come se ci tenesse a farti sapere che è molto occupata in questioni della cui serietà tu non sai nulla e che non possono essere trascurate nemmeno per un secondo.

È seducente, ha un corpo proporzionato e un vestito molto aderente, per non parlare delle scarpe. Niente a che vedere con lo stile anodino dell'altra. Ma è come una mistica che aspira all'isolamento. Non è vestita per piacersi o per piacere. Indossa una divisa che le serve per mettere tutti alla giusta distanza.

Al lato opposto della sala d'aspetto è seduta una coppia di clienti arrivati un quarto d'ora dopo di me. Finora non si sono scambiati una sola parola. Siedono vicini, ma una guarda a destra e l'altro a sinistra. Sembrano intensamente occupati a dimenticare il fatto di essere arrivati insieme.

La segretaria alla scrivania prende in mano la cornetta

del telefono. Parla a voce bassissima. Sono certa di non aver sentito il rumore di uno squillo. Ma è tutto cosí ovattato qui dentro che non mi sorprenderei se le suonerie fossero abolite. Riattacca e mi guarda.

– L'avvocato la aspetta. In fondo al corridoio, ultima porta a sinistra.

I due coniugi affetti da mutismo smettono all'unisono di guardare in direzioni opposte e mi fissano in sincrono con ostilità. Magari pensavano di passare prima di me, e in effetti il dubbio l'avevo avuto anch'io. Davo per scontato che una coppia di clienti avesse la precedenza su una questuante qualsiasi.

Faccio un respiro profondo, e appoggio le mani sulle gambe, che mi tremano appena. Male che vada tra dieci minuti sarà tutto finito, mi dico. E almeno oggi mi sarò fatta un giro in centro.

Il corridoio mi sembra lungo un chilometro, ma alla fine arrivo di fronte alla porta. Busso piano ed entro.

L'avvocato è seduto alla scrivania.

L'odore di tabacco nella stanza è molto forte, è probabile che fumi soprattutto qui. Le pipe sono allineate sulla mensola dietro la sedia. Forse trenta, magari di piú, e in fondo alla fila un paio di tabacchiere di metallo massicce e squadrate. Altre due pipe sono appoggiate davanti a lui sul tavolo.

L'ambiente deve essere isolato acusticamente – non si sentono rumori di nessun tipo dall'esterno. La luce è bassa, e a differenza del resto dello studio l'arredamento è essenziale, quasi ascetico. Non c'è niente che possa distrarre o attirare l'attenzione a parte l'uomo alla scrivania, che mi invita a sedermi.

– Ho pensato a lei in questi giorni, come le avevo promesso, – dice.

Le parole suonano cortesi, però non posso fare a meno di notare che non mi ha neanche salutata. Sembra strano.

Non so cosa rispondere.

Lui però non si aspetta repliche. – Larisa le avrà accennato che ho un'offerta di lavoro per lei. Per cominciare vorrei che fosse chiara una cosa. Non sono il genere di persona che fa beneficenza. Guadagno parecchio e pago le tasse. In termini di equità sociale significa che do molto piú di quello che ricevo. Non credo nemmeno al caso. Al puro caso, voglio dire. Incontrare un conoscente in centro è un caso. Una vicenda come la sua, la vigilia di Natale, è un segno.

Mi schiarisco la voce. – Credevo avesse detto che non si considerava religioso.

– Non è questo. Non penso a comunicazioni metafisiche. Intendo dire che era un giorno particolare, diverso dagli altri. La sua visita mi ha colpito, credo sia stato per la facoltà.

Mi guarda come se dovessi intuire l'allusione, ma io non so di cosa stia parlando.

– Medicina. È quello che avrei fatto anch'io se avessi potuto scegliere. Non sono stato cosí coraggioso. La mia famiglia aveva delle aspettative su di me, e non ho mai considerato l'idea di svincolarmi. Perciò ammiro la sua tenacia. Andare via da casa, senza mezzi, per realizzare un'ambizione personale. E resistere malgrado le difficoltà.

Stento a riconoscermi nelle sue parole. Io penso che chiunque avesse come unica alternativa quella di tornare al mio paese, farebbe le stesse cose che ho fatto io, forse perfino meglio di me. Certe volte è un deterrente piú efficace perfino della Medicina, che pure è la sola cosa che ho voluto studiare nella vita.

– Credo che meriti di essere aiutata. Questo non vuol dire che stia pensando a particolari facilitazioni. Voglio so-

lo che possa studiare in tranquillità. In cambio mi aspetto
che lavori per me. Mi serve una segretaria.

Fa una pausa.

Mi domando se è tutto uno scherzo. Mi sembra piuttosto surreale. Ho quasi la tentazione di tirare indietro
la sedia e andarmene, però non voglio essere maleducata.

– È sorpresa?

– No. Cioè sí. È perfino troppo bello. In ogni caso avevo pensato che fosse qualcosa di meno specifico. Non ho
idea di come funzioni uno studio legale, non ho mai fatto
niente di simile. E ho visto piú di una segretaria all'entrata.

Lui scuote la testa. – Ha visto due donne. Una donna
in uno studio legale non è per forza una segretaria.

Chiudo gli occhi. Che patetica figura da beghina. Ecco
perché la bionda alta era cosí sicura di sé, deve essere un
avvocato, come ho fatto a non pensarci?

– In ogni caso c'è una sola segretaria, che immagino
fosse alla scrivania. Si chiama Giovanna. Il suo contratto
è temporaneo. E in scadenza.

Mi dispiace che non le rinnovi il contratto, ma mi sarei
sentita peggio a rubarle il posto.

– L'altra non è una segretaria, è una collega, con me
da parecchi anni. Suppongo si possa dire che anche lei è
in transito. Durerà di piú perché ha una tempra diversa,
a ogni modo la conoscerà. Quindi non c'è niente di cui
preoccuparsi. La mia attività ormai è molto ridotta, seguo
solo pochi casi e alcuni vecchi clienti. Sto accompagnando
lo studio al suo naturale declino, dato che ho settantasei
anni e sono senza eredi, né biologici né professionali. Mi
basta quindi che lei sia qui tre o quattro ore al giorno, dal
lunedí al venerdí, per attività che le verranno spiegate e
che sono perfettamente alla sua portata. Quanto le dànno
dove lavora ora?

Ci metto un po' a rispondere. Non riesco a capire dov'è la fregatura.

– Circa seicento euro.

– A Giovanna ne do settecentocinquanta per venticinque ore alla settimana, la stessa cifra che offro a lei. E a differenza del supermercato, qui svolgerebbe un'attività professionalizzante, e avrebbe qualcosa da imparare. Oltre al fatto che ci sono diversi tempi morti. Se trova il modo di farlo con discrezione, la autorizzo a portarsi dietro i suoi libri e studiare.

Giovanna quindi dovrebbe perdere il lavoro a mio beneficio. Un atto di generosità a spese di un'altra che non mi ha fatto niente di male. La tentazione è grande, la paura anche. Mi sembra impossibile tanta fortuna. Buttare via quell'orrenda divisa, e lavorare un terzo del tempo in meno per guadagnare il venticinque per cento in piú. E poter studiare in un posto silenzioso e ordinato. Se però lascio il lavoro al supermercato e poi scopro che mi ha presa in giro, sono definitivamente allo sbando.

Lepore prende una delle pipe che sono sulla scrivania.

– Le dispiace se fumo?

Un segno positivo. La pipa mi riporta a mio padre, e sposta la lancetta verso il quadrante della fiducia. – No, al contrario. L'odore della pipa mi piace moltissimo.

Accenna un sorriso.

– Ecco, vede? Se avesse risposto «Sí, mi disturba», forse avremmo dovuto riconsiderare la questione. La pipa è una mia debolezza. Non potremmo andare d'accordo se avesse da ridire. Invece le piace, – e avvicina l'accendino aspirando con cura. Poi si alza, gira intorno alla poltrona e punta il mobile che occupa tutta una parete. Apre un cassetto e fruga all'interno.

– Scommetto che si sta facendo un sacco di domande. Si chiede se può fidarsi, – dice senza guardarmi.

Sono felice che mi dia le spalle. Poi però si gira all'improvviso.

– La vedo sulle spine e lo capisco, non sa niente di me. Finora è tutto molto dickensiano, vero? Rosita Mulè trova un portafoglio la notte di Natale, e lo riporta a un vecchio leggermente sinistro che le offre un lavoro e un'opportunità di riscatto. Ho sempre avuto molta simpatia per Scrooge. Piace anche a lei?

Con Scrooge vado meglio che con madame du Barry. So chi è, ho letto spesso *Canto di Natale* da bambina. Senza riuscire a evitare di piangere nemmeno una volta.

– Oppure si preoccupa per Giovanna, – dice dandomi di nuovo le spalle.

Mi infastidisce essere cosí trasparente.

– Un po', – rispondo.

– Non deve. Giovanna è una ragazza decente ma tarda, perfino per le richieste di uno studio in disarmo. Al posto suo avrebbe abbandonato l'università e sarebbe tornata a casa molto tempo fa. O piú probabilmente non sarebbe neppure partita. Lei invece ha un carattere diverso. C'è altro che la preoccupa?

– Mi scusi, non voglio sembrare maleducata. È solo che lei non mi deve niente.

– Capisco. Ha ragione a essere prudente, è una forma di intelligenza, e questi sono tempi cupi, specie per una ragazza giovane come lei. Mi creda, non ho secondi fini. Per inciso, non ci incontreremo quasi mai qui dentro. Farà da tramite la mia collega.

Finalmente individua quello che cercava in fondo al cassetto. Estrae un fascicolo e torna a sedersi alla scrivania.

– Senta, consideri la mia proposta come una forma di investimento sociale. Non sottovaluti il valore del progetto solo perché è la prima beneficiaria. Contribuire alla formazione di un medico costituisce un vantaggio per tutti. E non si faccia carico di responsabilità che non sono sue. Avrei allontanato Giovanna in ogni caso.

Niente di quello che ha detto mi fa sentire meglio, ma non posso nascondere che la proposta mi attira sempre di piú.

– Consideri anche questo, e glielo dico perché credo che per lei sia una motivazione rilevante, – fa una pausa. – Può scegliere l'inquadramento orario che preferisce, settimana per settimana. A me serve solo che certe pratiche vengano sbrigate ogni giorno, mi è indifferente che venga qui la mattina o il pomeriggio. Si regoli pure in modo da avere il tempo di tornare a frequentare le lezioni. Faccia uno schema di massima a inizio trimestre. Se avrò bisogno di lei in occasioni speciali glielo farò sapere in anticipo. Per il resto, è sufficiente che si coordini con Renata.

Lo guardo con un'espressione interrogativa.

– L'avvocato Callegari, la mia collega, – e torna ad appoggiarsi allo schienale della poltrona.

Non mi pare vero quello che mi sta offrendo. Ormai il destino di Giovanna, la segretaria tarda, non mi sembra piú cosí vincolante.

– Se le rimane qualche dubbio, cosa piú che legittima, vada a casa e faccia le sue ricerche. C'è la rete, dove può trovare conferma della solidità dello studio. Siamo qui dal 1936. E consulti anche gli archivi digitali del «Mattino» e del «Gazzettino». Lo studio compare almeno una decina di volte l'anno fino al 2010. Processi di un certo rilievo mediatico, intendo. Da allora la presenza si è diradata perché ho cominciato a tirare i remi in barca, ma ci siamo comunque. Padova è una piccola città, non ci vuole molto a raccogliere questo genere di informazioni. Ci pensi e mi faccia sapere. Se decide di accettare consideri che ho una sola pretesa, però non negoziabile.

Ecco, lo sapevo. Non poteva essere cosí facile.

– Il caffè, – e getta sulla scrivania l'opuscolo che ha preso nel cassetto. Guardo la copertina. È un manuale di istruzioni.

– Non mi costringa anche qui a patire la sofferenza che subisco a casa con Larisa, che almeno è giustificata dalla moka. Ma di là c'è una macchina automatica – si deve infilare una capsula e premere un bottone – e malgrado questo Giovanna non è mai riuscita a farne uno decente. Si porti via il manuale e lo studi seriamente. Se le riesce di farmi un caffè degno di questo nome, ha già giustificato metà del suo stipendio –. Sospira, quasi disgustato. – Una donna che non sa fare un caffè esula dalla mia capacità di comprensione.

Estate 1958.

Il caldo è cosí intenso che comprime i movimenti.

Piano, respirare piano. Evitare gesti scomposti che fanno salire una vampata di calore al viso e riempiono i polmoni come un incendio. Da giorni non si muove un filo d'aria. Le tende sono immobili, le imposte accostate in tutta la casa.

La cameriera raccoglie sul vassoio le tazzine vuote del caffè e la zuccheriera d'argento, poi spazza via le briciole. Ogni volta che allunga il braccio destro e descrive un ampio cerchio sul tavolo, sotto le ascelle si intravede l'alone scuro del sudore.

Gli adulti si alzano da tavola lentamente e si ritirano per riposare nelle stanze da letto in penombra. Nelle due ore che seguono è impensabile fare qualsiasi cosa a parte rimanere immobili come lucertole sul muro.

Appena escono si alza anche Ludovico. Si avvicina alla libreria massiccia e scura e tira fuori un libro. Infila la mano nel buco lasciato dal volume, e fruga finché non trova il pacchetto di sigarette. Poi siede di nuovo a tavola e ne accende una.

Soffia fuori il fumo verso l'alto osservando Guido sdraiato sul divano che occupa per tutta la lunghezza. Il fatto di trovarsi in casa di Ludovico non lo ha messo in

imbarazzo e non ha inciso sulla disinvoltura di quella posa
scomposta. C'è troppa intimità tra loro, che sono insieme
praticamente dalla nascita. Nessuno si risente se Guido si
comporta cosí. Il rispetto della forma, specie in una famiglia borghese di quel tipo, ha ancora il suo peso. Eppure gli si concede ogni licenza.

Guido comincia ad assopirsi. Respira piú pesantemente, con vibrazioni pigre da felino domestico. Si abbandona
senza riserve, le mani dietro la testa, i piedi che spuntano
oltre il bracciolo.

Ludovico non è capace di lasciarsi andare cosí quando
dorme, o quando il caldo lo annienta. C'è sempre qualche
pensiero che lo agita e alza la sua temperatura interna,
costringendolo a cambiare posizione per cercare sollievo.

Mentre osserva Guido sonnecchiare pensa due cose, e
sono le stesse ogni volta: la prima è che nessuno al mondo
gli somiglia di piú, e la seconda è che nessuno al mondo gli
somiglia di meno.

Però non è la similitudine a spiegare la natura del loro rapporto, e nemmeno la distanza. Piuttosto è la forza
del nodo che tiene in tensione gli estremi e impedisce che
schizzino via in direzioni opposte come pietre scagliate
da una fionda.

È possibile identificarsi con qualcuno che è cosí diverso
da te? Ed è possibile evitarlo se in sua assenza ti manca il
complemento necessario a sapere chi sei?

4.

Stamattina l'aria è limpida e frizzante, un miracolo in Pianura Padana. Decido che è un segno.

Oggi qualsiasi cosa mi sembra bella. È sabato 30 gennaio, il mio ultimo giorno di lavoro al supermercato. Cammino senza fretta.

Sono stati giorni difficili, irrequieti, passati a riflettere sulla proposta di Lepore. Ho seguito i suoi consigli, l'avrei fatto anche se non me l'avesse detto, perfino oggi non sono ancora del tutto convinta che una cosa del genere sia capitata proprio a me.

Ho consultato tutto – la rete, i periodici locali – e non mi sono limitata a questo. Ho chiesto a una delle mie coinquiline che studia Giurisprudenza. Lei conosceva di fama lo studio, non mi è bastato. L'ho pregata di verificare tra i suoi colleghi, se per caso a qualcuno risultava che ci fossero storie poco trasparenti su Lepore o sulla sua attività. All'inizio ero così scettica che sarebbe bastata una voce senza fondamento a dissuadermi. Ma non è uscito fuori nulla. L'attività dello studio è solida e inattaccabile. Ho una bozza di contratto da firmare che mi ha dato la Callegari, ho fatto controllare anche quella, e sembra tutto a posto.

Eppure ero nervosa. Credevo fosse impossibile che un'offerta simile non prevedesse contropartita. Ho scartato subito l'ipotesi più scontata perché ho guardato bene

la Callegari. Può essere, certo, che lui sia un vecchio laido.
Ma perché dovrebbe volere una ragazzina anonima come
me quando ha a portata di mano una come lei?

Però continuavo a oscillare da una decisione all'altra.
Prendere o lasciare? Cercavo la falla nel ragionamento di
Lepore, il dettaglio invisibile che mi dimostrasse che non
dovevo fidarmi.

Non ho trovato niente, ma non è stato questo a spingermi ad accettare. Se avessi potuto scegliere avrei comunque detto di no. È troppo radicata l'abitudine a diffidare.

Ho ceduto perché il 18 gennaio, una settimana prima
della scadenza del pagamento per il padrone di casa, non
avevo ancora messo insieme nemmeno la metà della som-
ma di cui avevo bisogno. Una sera sono tornata dal lavoro
e in salotto ho visto un portatile acceso su una pagina di
affitti per studenti. La stanza era vuota, il monitor bril-
lava. Ho capito che le mie coinquiline si erano convinte
che non avrei pagato, e che si stavano guardando in giro.
Forse volevano fare in modo che lo sapessi.

Allora ho preso in mano il telefono, ho chiamato Lepore,
e gli ho detto che accettavo.

– Devo chiederle un favore, – la voce mi tremava. – Avrei
bisogno di un anticipo sul primo stipendio. Non molto,
ma ho una scadenza che non so come affrontare. Se per lei
è impossibile, lo capisco. Mi creda, non capiterà mai piú.

Una parte di me pregava che la richiesta gli risultasse
sgradita, e che toccasse a lui l'onere di prendere la decisione anche per me. Invece Lepore non ha fatto una piega.

– Non è un problema, – ha detto. – La cifra? E di quanto preavviso ha bisogno per lasciare il supermercato?

Non sembrava sorpreso, o contento, o arrabbiato. Gli
ho detto quanto mi serviva, che dovevo restare al lavoro
fino alla fine del mese, e che per il 1º febbraio avrei potu-

to essere disponibile. Lui mi ha fissato un appuntamento
per cominciare lunedí prossimo, dopodomani.

Volevo ringraziarlo ma non l'ho fatto, non ho detto
niente piú dello stretto necessario.

Appena ho chiuso il telefono però ho provato una gioia
intensa. Ho deciso che, visto che avevo detto sí, tanto valeva provare a crederci.

Le possibilità generate dalla sua offerta hanno iniziato
a moltiplicarsi nella mia testa, in un circolo virtuoso che
mi ha mandato in fibrillazione. Sembrava che non aspet-
tassero altro. Eppure erano sempre state lí. Bastava cambiare un solo fattore – sostituire un lavoro ingestibile con
uno che mi avrebbe consentito di mantenermi senza farmi succhiare via la vita – perché tutto il resto si dispones-
se di conseguenza con una facilità quasi banale. Quando
mi sono svegliata, il giorno dopo, l'allegria era ancora lí.
Mi sono detta che era valsa la pena accettare il lavoro solo per quello.

Nello zaino ho l'opuscolo di istruzioni che Lepore mi
ha dato e che ho già quasi imparato a memoria.

Lunedí mi presenterò in quello studio finalmente senza
divisa, e nessuno mi chiederà di sollevare casse, collocare
scatolame in cima a una scala precaria, o entrare e uscire
cento volte da una cella frigorifera per sistemare quarti
di parmigiano il cui stato di conservazione è tacitamente
considerato piú importante del mio.

Mi vedo come se fossi già lí, seduta a una scrivania im-
mersa in quel silenzio che è quasi meglio di una biblioteca.
Il libro aperto, ogni momento buono per studiare. Nessun
cambio improvviso di orario. La possibilità di organizzare
un piano di studio e rispettarlo.

E poi la cosa a cui tengo di piú, la frequenza. Ormai il
primo semestre è andato, non vale la pena tornare per le

ultime due settimane di lezione. Meglio concentrarsi sui corsi che partono a fine febbraio, e sfruttare il tempo che manca per cominciare a prendere le misure del lavoro.

Mi sento una pila che irradia energia.

Il semaforo pedonale è appena scattato sul rosso. Intorno a me si assiepa una folla di persone in attesa di attraversare. Conosco questo incrocio, ci passo quattro volte al giorno. Non ci sono pulsanti per segnalare la presenza dei pedoni e accelerare il verde. Devi attendere che finisca il ciclo automatico, e dura un'eternità. Normalmente mi mette in agitazione, tante volte attraverso come se qualcuno mi spingesse da dietro, senza nemmeno aspettare che scatti, dribblando le auto che mi suonano addosso. Vado di corsa, sono sempre in ritardo, e se non è per la scadenza immediata è per quella che verrà subito dopo. È un ritardo cronico, esistenziale. Oggi invece aspettare non mi pesa. Mi permetto il lusso di avere del tempo da perdere. Tanto ormai me ne vado, e nessuno può impedirmelo.

D'istinto prendo in mano il cellulare. Ho la certezza che troverò un messaggio di Maurizio, e basterebbe questo a rivelare quanto si è innalzata la soglia del mio ottimismo.

Perché quando si tratta di Maurizio in genere preferisco non aspettarmi niente. Sono giorni che non si fa vivo, e credere che arriverà un segnale proprio ora è una cosa senza senso. Non è nelle sue abitudini. Se torna, lo fa di persona, messaggi non ne manda quasi mai, al limite per dire che sta arrivando. Il messaggio interlocutorio, che non serve a fissare un incontro ma solo un pensiero che vuoi condividere, non è mai stata roba per lui.

Poi mi aveva anche avvisata prima di Natale. È un brutto periodo, non preoccuparti se mi eclisso per un po'. Ha di queste uscite e ogni tanto sparisce senza motivo, però avvisa. È un latitante ben educato.

Ma oggi mi sento audace. Magari stavolta ha fatto un'eccezione. La vita ti sorprende in modo inaspettato, no?

Prendo in mano il telefono, lo guardo. Non ha nulla da dirmi. Nessun messaggio.

Accantono la delusione con noncuranza un po' infantile. Pazienza, mi dico. Non era importante. Mi posso concedere una bugia sull'altare della sopravvivenza emotiva per non farmi rovinare una giornata speciale.

Mentre sto per farlo scivolare di nuovo nella tasca, d'improvviso squilla. La speranza si riattiva frullando le ali come un uccellino. Do un'occhiata prima di schiacciare il tasto verde. È mia madre.

– Luisa è peggiorata.

Sorrido, visto che lei per fortuna non mi vede.

Il declino di Luisa è permanente e inarrestabile dagli anni Ottanta. Fa parte della propaganda intimidatoria di mia madre puntare alla sommatoria del dolore includendo nel paniere anche i disastri familiari di parenti e vicini.

– Ancora? In ospedale o fuori?

– A casa, ma stanotte ha avuto una crisi asmatica terribile. Il dottore dice che la sua fortuna è quella di non vivere sola.

Fa una pausa. Forse aspetta che chieda maggiori dettagli, o che prenda atto delle implicazioni, che sono poi l'unico motivo per cui me lo racconta. Ma io resto in silenzio, in attesa che continui: quando comincia cosí, senza alzare la voce, con toni e pause misurate, so già che si tratta di una telefonata motivata da un'ossessione, oppure da una paura che vuole sfogare.

Tempo fa mia zia le ha regalato un oggetto che deve aver pescato in qualche mercatino delle pulci, perché è impossibile che certe cose siano ancora in commercio. È una di quelle forcelle di plastica rigida che si fissano alla spalla e consentono di infilare la cornetta del telefono in modo da poter parlare conservando entrambe le mani libere, senza tenere il collo piegato in una posizione innaturale. Qualcuno gliel'ha riadattata per farla funzionare con il cordless di casa, lo strumento nasceva per i vecchi modelli in bachelite col filo arricciato a parete, che credo siano scomparsi da trent'anni. Con qualche piccolo accorgimento l'hanno sistemato e adesso funziona anche con le cornette ultrapiatte. Per lei è stata una rivelazione.

Prima di allora, l'unica cosa che metteva un freno alla sua pulsione a passare le giornate al telefono, era che non riusciva a fare nient'altro mentre parlava. Ha una sua etica calvinista che mi ha scrupolosamente trasmesso, si sente a disagio quando è ferma e improduttiva. Per l'uso di un cellulare con gli auricolari ormai è troppo vecchia, o cosí dice. Ne prende in mano uno, specie gli smartphone, e non capisce nemmeno da che parte si debba guardare.

Ma la forcella vintage l'ha entusiasmata. Adesso mentre parla al telefono niente può impedirle di cucinare, stirare, spazzare e lucidare l'argenteria. Gira per casa ingessata e rigida con quella specie di protesi all'orecchio e sfoga le frustrazioni peggiori massacrando scientificamente le formiche che d'estate si muovono in fila indiana verso la pattumiera, o sbattendo con ferocia l'impasto delle fettuccine sul ripiano di marmo in cucina.

Il massimo per lei è fare le due cose insieme. Agire parossisticamente e parlare come un'indemoniata di tutto quello che la fa star male. Allora telefona. Non solo a me, ringraziando Dio. Ché se c'è una fortuna nell'essere nati al Sud è che la rete parentale è sempre piuttosto estesa. Ne hai di gente da chiamare per il solo gusto di parlare all'infinito e ingigantire il problema.

Però con me funziona meglio, perché io rimango in silenzio e subisco. Gli altri invece fanno come lei. Approfittano di ogni pausa utile della conversazione per sostituire la cronaca delle disgrazie e delle miserie che hanno appena ascoltato con altre disgrazie e miserie di produzione propria, in un'olimpiade del malessere esistenziale. Non è quasi mai una conversazione, sono due monologhi alternati la cui fortuna dipende dalla resistenza fisica dell'avversario.

Io non l'ho mai capita questa vocazione a sceneggiare le tragedie familiari. C'è una componente malsana di teatralità. Mettere in scena il proprio disagio come se ci fosse un premio in palio per chi convince l'altro che sta peggio di lui. E tutto quello che ottieni è che alla fine la tua storia ti ingabbia e non sai piú come venirne fuori.

Finalmente scatta il verde. Il segnale luminoso del pedone in movimento mi mette allegria e mi fa scivolare le parole fuori di bocca. – Ho trovato un nuovo lavoro, – le dico, interrompendola sul resoconto di una Tac.

Mi pento subito. Non so perché l'ho fatto. Le dico sempre il meno possibile. Se le racconto quello che non va, lei lo usa contro di me come un grimaldello per convincermi a tornare a casa. Se non le dico nulla, non sono credibile e mi accusa di nasconderle le cose. E non so mentire inventando notizie innocue per farla stare tranquilla. Oggi almeno non devo inventarmi niente, è la pura verità.

Tace solo un attimo. Non le piace essere interrotta.

– Come, un nuovo lavoro? E il supermercato?

– Be', vado via. Non è che fosse un bel posto –. Non le do altri dettagli perché non le ho mai detto fino in fondo cosa mi toccava sopportare. Rischio grosso anche a dirle il resto. Se dovesse andare male, non smetterà mai di rinfacciarmelo.

– E cosa sarebbe?

– Uno studio legale in centro. È un posto elegante. Lo stipendio è piú alto, e riesco a conciliarlo molto meglio con l'università.

– Cosa ne sai tu di uno studio legale?

– Non molto, in effetti. Posso imparare.

– E perché hanno preso te?

– Non lo so. Immagino di essergli piaciuta.

– Sei sicura che sia gente affidabile? Tu conosci la mia situazione. Se le cose vanno male non posso aiutarti. E perché non me ne hai parlato?

– È appena successo. Comunque non ti ho chiesto soldi, sta' tranquilla. Ho fatto qualche ricerca, è uno studio conosciuto e rispettabile. Non c'è bisogno che ti preoccupi. Senti, devo andare, se no arrivo tardi al lavoro.

Chiudo in fretta ma ormai la sua nota d'inquietudine mi ha contagiata. Fino a un minuto fa ero convinta, adesso non sono piú sicura di aver preso la decisione giusta. Ho sbagliato a dirglielo. Cado sempre in questa trappola.

La paura subdola che mi ha inoculato finisce per rovinarmi la giornata. Avevo le mie riserve prima di accettare, e per andare fino in fondo ho dovuto attingere allo stato di necessità, e a una certa dose di incoscienza. Mi piaceva sentire sottopelle l'emozione e l'energia della piccola incognita che avevo scelto di affrontare, io che non rischio mai niente. E adesso è come se qualcuno mi avesse impallinato in volo.

Quando a fine turno Dina mi abbraccia e mi porge un pacchetto rosso augurandomi buona fortuna, mi salgono le lacrime agli occhi. Vorrei che fosse solo per il dispiacere di perderla. La verità è che sto scontando anche il nodo che mi stringe la gola da stamattina.

Scarto il pacchetto. C'è un'agendina tascabile in pelle. Blu, piccola e sobria.

– Adesso che vai in centro a fare un lavoro serio, – mi dice, – ti serve un accessorio da professionista.

Lunedí mattina ad aprirmi la porta è la Callegari.
La prima cosa che fa è guardare l'orologio.
– Puntuale, – dice. – Un buon inizio.
Sono contenta che l'abbia notato. Ci tenevo a non farmi sfuggire l'occasione di cominciare con il piede giusto. Sono arrivata con mezz'ora di anticipo e ho aspettato fuori fino a quando non sono scattate le nove esatte. Ho suonato il citofono e stavolta ho aspettato l'ascensore.
La prima cosa che realizzo è che non c'è piú traccia di Giovanna. Nessun passaggio di consegne, quindi, mi buttano subito dove l'acqua è profonda.
Renata Callegari mi dà del tu, ma non mi autorizza a fare altrettanto anche se in fondo deve avere solo cinque o sei anni piú di me. Del resto me lo aspettavo, perché vista da vicino conferma l'idea che mi ero fatta di lei. Ha una stretta di mano equilibrata e asettica, e non fa nessuno sforzo per sembrare cordiale.
Aspetta che mi tolga la giacca e che l'appenda accanto all'ingresso. Poi comincia a spiegarmi l'organizzazione dei dati.
– Qui archiviamo le pratiche, – mi dice appoggiando la mano su uno schedario che occupa l'intera parete alle spalle della scrivania. – Per ogni pratica apri un fascicolo, e lo sigli con il numero di protocollo, il cognome del cliente e quello della controparte. Sull'agenda che vedi sulla scrivania, la piú piccola, verifichi qual è il primo numero utile e dopo averlo assegnato alla cartella lo appunti anche lí, in ordine progressivo. Non dimenticare mai di registrare i dati, è fondamentale. Né in archivio, né in agenda.

Chiude gli occhi e si stringe la radice del naso fra le dita per focalizzare la concentrazione. Riprende a voce bassa.

– Prima o poi compreremo un software per la gestione elettronica del protocollo. Secondo me è essenziale –. Scandisce le sillabe. Es-sen-zia-le. – Ma l'avvocato non ha fiducia nella tecnologia e preferisce ridurla al minimo, quindi per adesso andiamo avanti cosí –. Solleva la testa di scatto, come se volesse prendere le distanze da quel momento di dissenso, e ricomincia a parlare a voce chiara e forte. – Quindi, ricapitolando: protocollo. Cognome del cliente. Cognome della controparte, – scandisce i concetti accompagnandosi con le dita. Forse pensa che io capisca meglio con un supporto visivo. Infatti subito dopo tira fuori una cartella dal primo cassetto dello schedario e me la piazza sotto il naso. – Le cartelle vanno in ordine alfabetico secondo il cognome del cliente. Fa' attenzione perché è frequente che siano membri della stessa famiglia, quindi il cognome può ripetersi. Questo è uno studio attivo da tre generazioni, che segue spesso piú rami dello stesso nucleo, e le stesse persone in cause diverse. L'attenzione al cognome può non essere sufficiente. In certi casi può incidere il nome di battesimo. E se il cliente torna per altre questioni, devi assegnare anche un ordine crescente ai fascicoli che lo riguardano. Tu registra tutto, e non avrai problemi.

Poi passiamo al funzionamento dell'agenda legale per gli appuntamenti, le udienze o le scadenze degli atti da depositare.

– Di questa mi occupo prevalentemente io, – mi dice in maniera aggressiva. – Voglio solo che tu sappia come consultarla. Capita che io o l'avvocato siamo fuori. A volte chiamiamo per una conferma. In molti studi ormai si usa il formato digitale, ma anche in questo caso l'avvocato non vuole abbandonare il cartaceo, – aggiunge.

D'improvviso si interrompe guardando verso il telefono, e allunga la mano piegandosi in avanti sulla scrivania. Il pendaglio d'ambra della collana che porta al collo dondola per un paio di secondi. Lo afferra e lo blocca con un gesto nervoso come se fosse un bambino agitato da zittire. Ascolta senza replicare, la labbra strette in una linea dura. Dopo mezzo minuto taglia corto dicendo: – Arrivo tra un quarto d'ora.

Riattacca e torna a rivolgersi a me.

– A proposito, qui la suoneria è bassissima. Riconosci il segnale di chiamata solo se sei abituata, oppure dalla luce rossa che si accende a destra del display. Cerca di non distrarti, per favore. E dammi al piú presto il tuo numero di cellulare. Dove eravamo?

– L'agenda legale.

– No, con quella ábbiamo finito, non c'è altro che devi sapere. Piuttosto, tieni presente che l'avvocato scrive anche gli atti a mano, è un suo vezzo, ti ho detto che detesta i computer. Ma sei fortunata, ha una scrittura leggibile. A fine giornata li lascia qui, nel faldone blu, insieme al testo delle mail di risposta che dovrai scrivere e inviare. Tu devi batterli, stamparli e riportarli sul suo tavolo. Nessun problema col computer, vero? – conclude con una sbavatura di ironia.

Mi chiedo se Lepore le abbia detto che fino a ventiquattr'ore fa lavoravo in un supermercato. È probabile che abbia parecchie perplessità su di me.

Spio di sottecchi la macchina sul tavolo. Non ne so abbastanza per valutare il modello. A parte le dimensioni, che sono notevoli, non mi pare diverso da qualsiasi altro computer che abbia usato finora.

– Nessun problema, – rispondo.

Poi mi spiega come filtrare le chiamate, come accedere alla posta elettronica dello studio e con quali credenziali, in che ordine stampare le mail, come ordinare la posta cartacea distinguendo le pubblicità dalle comunicazioni formali, e queste dagli atti giudiziari.

– Apri tutto quello che arriva, ordina e metti sulla scrivania dell'avvocato, a eccezione di quello che riporta la dicitura «Riservato e personale», che lasci chiuso. Conserva sempre le buste, tutte, soprattutto quelle delle raccomandate. Gli atti in formato cartaceo non sono molti, viaggiano quasi solo per Posta Certificata, e anche quella la gestisco io. Se l'avvocato è presente, non passargli telefonate a meno che non ti abbia avvisato in anticipo. Scrivi il nome e il recapito e di' che richiameremo. Non prendere impegni di nessun tipo. Non ti sbilanciare. Non fare previsioni. Non dare informazioni a meno che non siano molto generiche o l'avvocato non ti abbia chiesto espressamente di farlo. Quando rispondi al telefono, pensa a te come a una segreteria automatica. Sei qui per recepire messaggi con tatto e distacco, non per interagire. Impara una formula e ripeti sempre quella. Non dare il cellulare dell'avvocato a nessuno, mai, per nessuna ragione.

Calca il tono perché capisca che questo è della massima priorità. La ascolto in silenzio, poi annuisco perché ho paura che se non lo faccio non andrà avanti.

– Toner, cancelleria, acqua e caffè sono qui dentro, – e fa scorrere l'anta di un armadio a muro nascosto dietro la scrivania. – Se finiscono, ordinare il rifornimento è compito tuo. Numero e indirizzo dei fornitori sono in agenda. Qui c'è anche la macchina del caffè.

La vedo sul ripiano piú basso. Ci pieghiamo entrambe per osservarla da vicino. È massiccia e nera con inserti cromati, ma molto piú piccola di quello che immaginavo.

– Spero che tu riesca a capire come farla funzionare decentemente. Giovanna non faceva un gran lavoro, – con-

clude rialzandosi in fretta e lisciandosi la gonna. Ha due
gambe bellissime. Con i tacchi sono ipnotiche. Poi va verso la porta infilandosi il cappotto.

– Ho un appuntamento e sono già in ritardo. La tua
copia delle chiavi è sulla mensola dietro di te e il lunedí
è una giornata tranquilla. Studia l'archivio, per favore.
Non voglio perdere tempo nei prossimi giorni a sistemare i tuoi casini. L'avvocato arriverà verso le undici. Per
qualsiasi cosa, il numero del mio cellulare è nell'agenda
elettronica. Mandami un messaggio in modo che abbia
il tuo in memoria. E non scervellarti sul testo, per favore. La metà delle ragazze che arriva qui ci mette due ore
prima di spedirlo. Poi mi dicono che non sanno cosa scrivere. Cristo, sembra che tu gli chieda un componimen-
to in endecasillabi… – Fa una leggera smorfia di disgusto afferrando la maniglia. – Basta che me ne mandi uno
entro dieci minuti, anche vuoto. Stai tranquilla che ti
riconosco.

Dopo aver trascorso il fine settimana a studiare il manuale, passo le prime due ore in ufficio a smontare le parti
mobili della macchina del caffè, pulire i filtri, controllare
le guarnizioni e risciacquare il tubo erogatore lasciando il
rubinetto sotto il getto dell'acqua almeno un paio di minuti per essere certa che sia perfettamente pulito.

Mi faccio tre caffè e li mando giú in un sorso. Voglio
essere sicura che siano all'altezza. E non ho bisogno di
questo per diventare piú nervosa di quanto già non sia. Mi
sembrano buoni, l'ultimo meglio del primo, ma non sono
un'esperta e non mi sento tranquilla.

Alla fine Lepore, che è arrivato circa un quarto d'ora
fa parlando al cellulare e mi ha fatto solo un gesto di saluto
passandomi accanto, mi chiama nel suo ufficio.

Faccio un caffè anche per lui, busso ed entro. Lui sta ancora parlando. Ascolta, perlopiú, e fa qualche verso di approvazione ogni tanto.

Mi avvicino e deposito la tazzina davanti a lui.

L'aveva fatta tanto lunga con questa storia del caffè, che pensavo aspettasse di finire prima di assaggiarlo. Invece lo manda giú in un sorso mentre parla, senza nemmeno guardarmi.

Ci rimango male. Cerco di interpretare la sua espressione sperando di leggere qualcosa, ma non c'è niente da fare. Non mi guarda.

Riprendo la tazzina e vado verso la porta, ma lui mi ferma con un gesto imperioso.

Resto in mezzo alla stanza come una cameriera colta da un'improvvisa amnesia, mentre lui discute di un qualche ricorso. Poi attacca e apre una cartella infilandosi gli occhiali.

– Si sieda, Rosita. Ha parlato con Renata?

Ubbidisco con la tazzina in mano, sentendomi vagamente ridicola.

– Sí.

– Ed è tutto chiaro?

Per un momento temo che stia per interrogarmi. Provo a richiamare le indicazioni della Callegari nell'ordine in cui me le ha date, e non mi viene facile perché ho trascorso tutta la mattina a pensare solo a quella dannata macchina del caffè, senza studiare l'archivio. Poi mi ricordo che non ho nemmeno mandato l'sms che mi aveva chiesto. Passerò per fessa come tutte quelle che mi hanno preceduta, e fra sei mesi farò la fine di Giovanna la tarda.

Cerco una formula non impegnativa che mi permetta di evitare i dettagli.

– Penso mi abbia fatto vedere le cose essenziali, magari potrei fermarmi un paio d'ore nel pomeriggio per capire meglio come è organizzato l'archivio. Aveva un appuntamento ed è uscita di fretta. Non sono sicura che abbia fatto in tempo a dirmi tutto.

– Questo è evidente. O non sarebbe vestita cosí.

La Callegari non mi ha parlato di abbigliamento. Ora che ci ripenso, forse è per questo che mi guardava in quel modo. Ma cosa avrei dovuto fare, andare a casa a cambiarmi?

Oggi porto l'unica gonna che ho. Blu, con le pince, e mi arriva al ginocchio. Me l'ha infilata mia madre di nascosto nella sacca quando sono scesa l'ultima volta a Natale, anche se avevo cercato di spiegarle che non mi serviva. E invece una volta tanto aveva ragione lei. Stamattina davanti all'armadio mi sono resa conto che era l'unico capo spendibile che possedevo. Sopra ho una camicetta color panna e un maglione di cotone bianco. Ai piedi un paio di mocassini neri, senza fiocchi né nappe.

– Il problema, – riprende lui, – è che vestita in quel modo dimostra quindici anni. Le mancano solo le trecce e i calzettoni. La clientela qui è composta da persone abitudinarie che non reagiscono bene agli stimoli nuovi, specie in uno studio legale dove si entra già predisposti a occuparsi di faccende noiose. Vedono lo stesso tipo di segretaria da settant'anni, non mi stupirei se qualcuno pensasse che si tratta perfino della stessa persona che cambia pettinatura. Hanno un'idea precisa di come dovrebbe apparire una donna. Diciamo che dànno per scontata la conformità a un certo standard decorativo. Lasciamoli nelle loro convinzioni. Rende tutto piú semplice.

Mi sento spiazzata.

– Ci sono problemi? – chiede.

Inspiro. Abbasso gli occhi. Non voglio che si senta sfidato. E nemmeno che pensi che non so accettare una critica.

– È solo che non mi sembrava che Giovanna avesse un aspetto diverso dal mio, – dico, – a parte i capelli lunghi, magari, – e mi passo involontariamente una mano sulla nuca, sfiorandomi la zazzera nera che a malapena arriva al collo.

Lui si toglie gli occhiali. Mi scruta per qualche secondo. Reprimo la sensazione di essere un quarto di manzo appeso al gancio di una macelleria.

Lepore distoglie lo sguardo. – Per cominciare si truccava, – dice a voce bassa, come se volesse concentrarsi per rievocare l'immagine della sua ultima segretaria e confrontarla con quella che ha davanti, – niente di pesante, ma già questo le eviterebbe di sembrare una minorenne. Le sue gonne non erano da collegiale, e non portava scarpe penitenziali. Sono dettagli che nell'insieme fanno la differenza. Non le sto chiedendo di adottare lo stile di Renata. Quella è una scelta estrema per la quale bisogna avere il carattere giusto, – torna ad alzare lo sguardo, – però sono sicuro che possiamo fare uno sforzo per attenuare questi eccessi da riformatorio minorile.

Mi sento una mentecatta. Ho già sbagliato tutto.

– Mi scusi. Credevo che fosse il caso di adottare uno stile neutro, – dico per fargli capire che almeno mi ero posta il problema.

– Quello non è uno stile neutro, – risponde lui indicando verso di me con gli occhiali in mano, – è inibito e anonimo, semmai. E quel che è peggio, specie qui dentro, è che autorizza gli altri a ignorarla pregiudizialmente. La preoccupa l'idea di vestirsi da donna? Oppure ha delle riserve, come dire, di natura ideologica?

Mi sento arrossire.

– Non credevo di poter essere scambiata per un uomo… – La mia voce si esaurisce in un pigolio.

– Non è l'identità di genere che metto in discussione, è il rifiuto di ricorrere a certi trucchi che possono semplificare la vita. La mia e la sua, almeno finché lavora qui. Spero che non abbia resistenze solo perché parliamo di stereotipi.

Pensavo a lui come a un uomo anticonvenzionale. Uno che fa cose che non ti aspetti. Sentirlo parlare di stereotipi mi procura un filo di delusione.

Forse è una specie di test. Mi sta mettendo alla prova per vedere se ho un minimo di audacia o sono solo un sambuco messo lí per rispondere al telefono e poco altro.

– Ha ragione, credo sia un mio limite. La femminilità vistosa non mi appartiene.

Infatti non ho niente nell'armadio che possa servirmi, e di sicuro non ho i soldi per rifarmi il guardaroba. Ma un problema per volta, non voglio lasciarmi prendere dall'ansia.

– Lo vedo, sí, – dice lui rimettendosi gli occhiali per tornare a frugare tra i documenti nella cartella. – La maggior parte delle donne che se ne tengono lontane si giustifica con scuse di questo tipo. Io credo invece, evangelicamente, che il peccato si nasconda nelle intenzioni invisibili, quelle che occultiamo, non in ciò che mostriamo alla luce del sole. E gli stereotipi esistono comunque, che uno li approvi oppure no. Perciò tanto vale servirsene. In fondo sono utili scorciatoie relazionali.

– Immagino sia questo il problema. La gente fa presto a farsi delle idee –. E nel momento in cui pronuncio le parole avverto una distorsione. Mi sembra di sentir parlare mia madre.

Lui comunque ignora il mio ultimo commento e ripete annoiato: – Scorciatoie relazionali. Vuol dire utili strumenti che permettono di produrre un effetto voluto senza doverlo spiegare con parole alla portata dell'interlocutore. Fanno risparmiare tempo e fatica. Le donne hanno la fortuna di poter lavorare con molta efficacia sul proprio aspetto. Anche poche, mirate attenzioni, bastano ad assumere una maschera che negozia al posto loro la maggior parte delle relazioni con il mondo, e produce esiti prevedibili. Vale la pena rinunciare a tutto questo in nome di un astratto pregiudizio?

Quando torno a casa alla fine della giornata mi sento come se avessi passato in studio una settimana. Verso le quattro la Callegari è rientrata, e Lepore deve averle parlato della faccenda dell'abbigliamento. È uscita dal suo ufficio molto innervosita e mi ha chiesto di presentarmi domani con un quarto d'ora di anticipo, dicendo che può passarmi qualcosa che non usa piú. Nessuno dei due ritiene che io possa avere roba diversa nell'armadio. Il che è vero, però mi innervosisce che per loro sia cosí evidente. Poi se ne è andata definitivamente senza salutare, mentre io sfogliavo le cartelle dell'archivio per farmi un'idea.

Poco dopo è uscito anche Lepore e io sono rimasta sola tutto il resto del pomeriggio a studiare documenti, senza osare tirare fuori i miei libri dalla borsa. Il primo giorno sarebbe stato sfacciato, anche se nessuno mi guardava e non c'è stata neppure una telefonata. Adesso l'unica cosa di cui ho voglia è un caffellatte bollente e due biscotti.

Imbocco il vicolo del mio condominio accelerando l'andatura. Quando rialzo gli occhi dopo aver tirato fuori le chiavi dallo zaino, mi accorgo che Maurizio è lí, appoggiato al muro accanto al portone, e fuma una sigaretta.

Non riesco mai a spiegarmi come fa a non morire assiderato. Esce di casa senza nessuna consapevolezza della temperatura o degli impegni che lo obbligheranno a stare fuori al freddo tutta la giornata. Ha addosso un trench chiaro da mezza stagione e una sciarpa che non si è nep-

pure ricordato di avvolgere intorno al collo. Fissa la luce
del lampione che illumina il marciapiede, la gente gli scorre accanto a piccoli gruppi e gira l'angolo. Lo guardano a
malapena, sono molto giovani, puntano al pub irlandese
che è lí vicino.

Mi fermo per poterlo osservare a distanza senza che lui
se ne accorga. Per quello che mi dà, per il tempo ridot-
tissimo che passiamo insieme, potrei scaricarlo ora e non
cambierebbe quasi nulla. C'è quando c'è, e la maggior
parte del tempo sparisce. Ha una moglie gelosa, un lavoro
opprimente, una casa fuori città, svariati cani, e tutti pretendono la sua attenzione. Io invece non pretendo niente,
non so se per generosità o per impotenza.

È per questo che mi è grato e ogni tanto mi cerca. Perché non insisto e non rivendico, forse per distinguermi da
mia madre che si rivolge a me sempre come se stesse reci-
tando le tavole della legge dei doveri familiari.

Lui alza gli occhi e mi vede. Butta la sigaretta e mi viene incontro. Quando mi sorride mi ricordo perché faccio
tanta fatica a rinunciare al poco che abbiamo.

– Quant'è che sei qui ad aspettare? – chiedo.

– Non so, stavo pensando a certi casini sul lavoro e ho
un po' perso la nozione del tempo. Un quarto d'ora, forse. Non molto comunque. Sono stato al supermercato ma
mi hanno detto che non lavori piú lí.

– No, infatti. Strano che tu sia venuto proprio oggi. Sabato è stato il mio ultimo giorno.

– Perché non me l'hai detto? – mi chiede.

Perché non ti sento da settimane, penso. E forse perché, anche ora che me lo domandi, la tua testa è troppo
affollata per riuscire a focalizzarti su di me abbastanza a
lungo da ascoltare la risposta. Il che rende del tutto inutile che io la formuli.

Infatti i suoi occhi sono già altrove. Mi prende sottobraccio e comincia a muoversi, probabilmente per combattere il freddo. Si stringe le falde del trench sul collo.

– Perché non lo chiudi, almeno? E la sciarpa? – La tocco, è un tessuto impalpabile, adatto alla primavera, non al gelo di stasera. – Almeno falle fare due giri intorno al collo, a cosa ti serve sciolta cosí?

Mi guarda stralunato ed esegue con lentezza i miei suggerimenti. È talmente scollegato dal suo corpo che non capisce il senso di quello che dico fino in fondo. Lo fa perché gliel'ho detto io e si fida di me. È per questo che è qui. Perché qualcuno si occupi di lui e gli dica «copriti». Oppure «hai mangiato?» La ragione speculare a quella per cui a me riesce cosí difficile allontanarlo: perché occuparmi di lui è l'unica cosa che mi sembra di fare bene. Mi fa sentire preziosa.

Ma è un vincolo precario e instabile. Per lui è bello che mi preoccupi; per me, in mancanza di meglio, è bello fare a lui quello che vorrei che qualcuno facesse a me. Rimaniamo vicini per una sorta di osmosi emotiva, siamo incapaci di resistere seriamente agli eventi, e potremmo finire per allontanarci senza capire nemmeno perché. Fluttuo in questa storia sapendo che può finire in ogni momento. Tutto quello che c'è è qui e ora. Per noi due non è praticabile nessun'altra dimensione.

Però sono contenta di vederlo, e di potergli raccontare del nuovo lavoro.

Gli accarezzo la guancia gelata. – Vuoi venire su? Non ho molto da offrirti, ti avverto. Mi pare ci siano delle zucchine e una melanzana, e posso rimediare della passata di pomodoro. Forse riesco a cucinarti un piatto di pasta.

Lui si avvicina di piú, mi sfiora la schiena, mi stringe i fianchi e si struscia contro di me. – Sí, voglio salire, ma

non ho molto tempo. Mi perdoni se non mi fermo a cena? – mi chiede appoggiando la sua fronte alla mia.

Ecco. Questo è tutto quello che abbiamo. La concentrazione degli affetti in microscopici spazi. Forse perché l'affetto da comprimere non è granché, o perché in mancanza
di alternative lo potiamo senza garbo ogni volta che mani-
festa l'urgenza di crescere. È un amore da piccoli coltivato-
ri. Un minuscolo orto urbano di sesso e sentimenti bonsai.

Con la ristrettezza però ho familiarità. Questo c'è, e
me lo faccio bastare.

5.

La Callegari mi scannerizza dalla testa ai piedi, poi mi gira intorno.

Vista da sotto, che è la mia prospettiva naturale perché, a parte i bambini, quasi tutti sono piú alti di me, troneggia come una specie di amazzone urbana. La cosa di lei che mi impressiona di piú è il fatto che sia truccata in modo professionale alle otto e quaranta del mattino.

Mi afferra per le spalle e mi gira di centottanta gradi come se dovesse prendermi le misure di una giacca.

Siamo nell'archivio dello studio. Si accede da una porta accanto all'ingresso che nei giorni scorsi non avevo notato perché è nascosta da un pannello di legno su cui sono agganciate tre batterie di faretti. È una stanza grande, senza finestre. Due pareti sono occupate da scaffalature in metallo piene di rilegatori in cartone rigido impilati fino al soffitto. In fondo ci sono un paio di armadietti, una panca, e un bagno minuscolo con un box doccia da due soldi. Niente a che vedere con il bagno elegante del corridoio, a disposizione dei clienti.

– Se ho tempo vado a correre, – mi ha detto la Callegari quando siamo entrate, mostrandomi la sua sacca da runner sul pavimento che era già lí. – Non toccare mai la mia roba, per favore.

Non mi sono stupita. Un fisico come il suo non poteva essere solo il risultato di una genetica felice. Si vede che gli dedica tempo e risorse.

Appoggia per terra la busta che si è portata da casa.

– Il problema è che sei troppo magra, – dice tirando fuori il contenuto. Le stesse parole che ripete sempre mia madre.

A parte questo sono talmente diverse l'una dall'altra che mi viene da ridere.

– So cucire abbastanza bene, – dico.

È una delle cose che sono stata obbligata a imparare e che pensavo non mi sarebbe mai servita a niente, invece. La Callegari tira fuori un paio di gonne, una beige e l'altra nera, poi mi fa girare di nuovo su me stessa.

– Dovrai per forza. Se ti metti addosso questa roba senza nessun adattamento sembrerai vestita con un sacco. E l'avvocato non sarà contento. Io porto la quarantadue, ma tu sei una che naviga nella quaranta –. Alza una delle due gonne verso l'alto. – Questa forse è piú piccola, dovrebbe andarti con poche modifiche.

Gliele tolgo dalle mani. – Non si preoccupi, posso sistemarle tutte e due, anche la piú grande.

Lei ricomincia a rovistare mentre io mi appoggio la gonna nera all'altezza della vita per farmi un'idea della lunghezza. Per fortuna non sono particolarmente corte, e comunque su un'altezza come la mia dovrebbero arrivare almeno al ginocchio. Indossare una minigonna aggressiva mi farebbe sentire a disagio.

La Callegari prende dalla busta anche due maglie a maniche lunghe, una camicia bianca e un pullover viola con lo scollo a V molto profondo.

Lo guarda stupita. – E questo com'è arrivato qui? L'ho cercato per mesi, deve essere finito in fondo alla busta –. E con estrema naturalezza si toglie il maglioncino che indossa rimanendo in reggiseno. Poi infila le braccia nel pullover, uno dopo l'altro, mentre si sposta di fronte allo specchio sopra il lavandino. Il pullover si incastra da qualche parte e mi dà il tempo di osservarle la schiena. Ha un tatuaggio piuttosto grande. Un drago ricoperto di scaglie verdi che si insinua tra la scapola destra e la sinistra.

Quando riesce finalmente a tirarsi fuori dallo scollo, la Callegari si accorge del mio sguardo nel riflesso dello specchio, e fa un sorriso obliquo.

– I tatuaggi sono collegati a comportamenti a rischio, – dice ammiccando verso di me.

– Scusi?

– Non lo dico io. Lo dicono le statistiche. E scommetto che anche tu l'hai letto da qualche parte, o magari l'hai studiato in un esame di psicocazzate. Cosí ora ti fai delle domande: che genere di rischio potrebbe adattarsi a una come lei? È per quello che mi guardi con gli occhi fuori dalle orbite, no?

– Veramente no. Anche se in effetti non mi aspettavo un tatuaggio, soprattutto di quelle dimensioni. E forse nemmeno il soggetto.

– Perché, che genere di soggetto avresti trovato appropriato?

– Non ne ho idea. Però questo è notevole.

Lei si guarda per vedere come le cade il pullover di profilo, e poi, girando la testa, dietro le spalle.

– Sei la prima persona che non mi domanda come sono riuscita a sopportare il dolore. Almeno apprezzo l'originalità.

Non mi ha nemmeno sfiorata una domanda del genere. Come si fa ad avere dubbi sulla sua capacità di tollerare il dolore? È cosí evidente che inizio a pensare che mi piaccia. Non sarà affabile, ma almeno dà l'idea di sapere quello che vuole e di ottenerlo con poco sforzo. Una qualità che le invidio.

– L'avvocato mi ha lasciato un appunto per te, – mi di-

ce, – per questa settimana ti fermi in studio e familiariz-
zi con le procedure. Dal prossimo lunedí puoi iniziare ad
andare in giro per le raccolte firme. Ti ho già preparato
nomi, indirizzi e fascicoli sulla scrivania. Comincia a studiare. Sono tutte donne, faccende relative a pratiche di
divorzio o separazione. Accordi economici, perlopiú –. Si
sfila il pullover e si rimette il maglioncino. – La prima è
la Pincherle, una vecchia cliente, sta' attenta a come ti ri-
volgi a lei. Non le piace venire fino a qui. È lunatica, può
essere amichevole o aggressiva, dipende. In ogni caso è un
problema tuo. Oggi, quando hai finito, vai a casa e siste-
mati questa roba. Sulle scarpe dovrai arrangiarti, io porto
il quaranta. Tu, cosa? Trentacinque? Trentasei? Ce l'avrai
qualche amica che possa prestarti un paio di décolleté de-
centi, no? Se ti vanno larghe, puoi imbottirle di ovatta.

Trovare le scarpe adatte è il problema minore. È met-
terle che mi preoccupa, specie sul parquet dello studio
che scricchiola a ogni minima sollecitazione. Con i mocassini sembra di camminare su un cimitero di cicale,
non riesco a immaginare l'impatto sonoro di un paio di
scarpe piú impegnative. La Callegari lo fa tutti i giorni,
certo, ma è come dice Lepore: ci vuole il carattere giusto, e io non ce l'ho.

Lei non si preoccupa di essere notata. Vuole che tu la
veda e che la lasci passare. Io invece respiro liberamente
solo quando sono invisibile.

La Callegari infila tutto di nuovo nella busta. Aggiunge
anche il pullover che ha provato di fronte allo specchio.
Se ne sbarazza e me la consegna.

– L'avvocato dice che devi farmi avere un prospetto
con i tuoi orari di presenza per il prossimo trimestre –.
Mi sembra che mi guardi male, forse non si spiega quel
privilegio inaudito.

Faccio sí con la testa.

– Cerca di darmelo prima di giovedí, ho bisogno di anticipo per pianificare la settimana.

Prima di uscire allunga la mano verso l'interruttore della luce e si ferma un attimo, come se l'avesse sfiorata un pensiero improvviso. Si gira. Penso che in qualche modo somiglia al suo drago tra le scapole, e comincio a capire perché se l'è fatto tatuare.

– Tanto perché tu lo sappia, il mio rischio è il sesso, – dice trascinando le *s*. Per un momento ho l'impressione che scherzi. Invece fa sul serio. Non è il genere di donna che potrebbe tirare fuori una battuta in una circostanza simile, e certo non con me.

Ci resto male, proprio ora che iniziava a piacermi. Non per quello che ha detto – se scopa in giro con chi le pare sono fatti suoi – ma per la volontà puerile di scandalizzarmi. Ci tiene a farmi sapere che non fa sesso per divertirsi. Fa sesso perché sia chiaro che non avrà mai niente in comune con quelle come me.

La mia prima settimana in studio trascorre quasi in solitudine.

Sono devota al nuovo lavoro, un soldatino efficiente. Studio lo schedario voce per voce, e perfeziono la formula di risposta telefonica e quella di accoglienza del cliente che si presenta alla porta.

La fatica piú grossa la faccio per abituarmi ai vestiti. A sistemare le gonne non ci ho messo molto, ma imparare a portarle, insieme alle scarpe che mi sono procurata al mercatino di Prato della Valle, mi costa fatica.

Resto seduta piú a lungo possibile, e se devo alzarmi mi muovo con molta prudenza. Anche in questo mi applico. Quando non c'è nessuno faccio delle prove e cammino

avanti e indietro nel corridoio cercando un assetto soste-
nibile che non sia ridicolo.

Il giorno della prima uscita per la raccolta delle firme
sono quasi a mio agio.

C'è un bel sole. Fuori ci sono otto gradi ma non sembra
troppo freddo. Passo in studio a raccogliere il faldone dei
documenti preparati il giorno prima, e mi metto in moto.

Annamaria Pincherle abita in un edificio austero in via
Altinate. Ho dato uno sguardo al suo fascicolo e mi sono
fatta dire qualcosa di piú dalla Callegari, estorcendole spiegazioni che non era tanto contenta di darmi.

I documenti riguardano la divisione di alcune proprietà
tra lei e l'ex marito, e la liquidazione finale dopo il divorzio. La Callegari è rimasta abbottonata sui dettagli. Ha
detto solo che Lepore rappresenta la moglie, ma che per
molti anni è stato l'avvocato di famiglia. Poi al momento
del divorzio il marito se n'è scelto un altro. Non so se la
separazione sia stata consensuale o agguerrita, o da quanto
tempo si trascini in tribunale. Però ho un'idea abbastanza
precisa dell'entità delle cifre e del valore degli immobili.
Che mi ha fatto una certa impressione.

L'appartamento è all'ultimo piano. Suono, immaginan-
do che mi aprirà qualcuno del personale di servizio. Invece alla porta si presenta una donna che emette un alone di
dominanza inequivocabile.

– La signora Pincherle? – chiedo. Lei ammicca. – Sono
Rosita Mulè, ci siamo sentite al telefono un'ora fa. Vengo
da parte dell'avvocato Lepore. Mi scuso per il disturbo
ma ho alcuni documenti urgenti che dovrebbe firmare, e
l'avvocato voleva evitarle il fastidio di venire in studio.

Lei si sposta per lasciarmi entrare. La seguo, mi fa strada. La osservo di sottecchi mentre passiamo accanto a una
grande specchiera lungo il corridoio.

Dimostra almeno dieci anni piú di quelli che ha, il che è strano per una donna con le sue possibilità economiche, e non è comunque giovane. È alta, grossa e apre e chiude il pugno in fondo al braccio destro che tiene aderente ai fianchi.

Ha un seno enorme che le arriva quasi sotto il mento ma non le dà affatto un aspetto materno. Al contrario, la rende incombente e minacciosa come se indossasse un'armatura da torneo. Porta una vestaglia di seta azzurra lucida che emette un tenue bagliore, e delle pantofoline in contrasto col suo fisico da bodyguard. È anche truccata. Ma sulla sua faccia fa un effetto da clown triste, come se le avessero rovesciato addosso una secchiata di colore.

Si ferma in mezzo al salotto. Sembra che si ricordi di qualcosa all'improvviso. Si gira verso di me.

– L'avvocato Lepore. Sono diversi giorni che provo a parlare con lui. Non mi risponde mai.

Ripenso alle indicazioni che la Callegari mi ha dato il primo giorno. «Non ti sbilanciare. Non fare previsioni. Non dare informazioni a meno che non siano molto generiche o l'avvocato non ti abbia chiesto espressamente di farlo».

– È molto occupato. Nemmeno io lo incontro da giorni. È possibile che abbia avuto qualche contrattempo. Appena lo vedo comunque farò presente che ha urgenza di parlargli.

Lei annuisce, sconsolata, e riprende a camminare.

Attraversiamo in silenzio l'appartamento che probabilmente occupa l'intera pianta del palazzo. La donna ogni tanto si gira e mi fissa con occhi da mucca al macello per accertarsi che la segua, si stringe le falde della vestaglia sul collo, e riprende a camminare lasciandosi alle spalle un paio di saloni che non finiscono mai.

Cerco di non guardarmi troppo in giro per non sembrare indiscreta, ma è difficile perché non ho mai visto una

casa cosí. Accanto a un cassettone non riesco a evitare di
far scorrere lo sguardo su una fila di foto incorniciate
di grandezze diverse. Sembrano messe in ordine apposta
per illustrare una storia di famiglia, dal bianco e nero al
colore. Vestiti che cambiano d'epoca, pettinature femminili montate come meringhe che pian piano si sciolgono
passando dagli anni Settanta ai Novanta. Donne e uomini
prima giovani, poi sempre piú appesantiti. Bambini che
crescono in altezza. Il caleidoscopio di una famiglia felice. Tutti sorridono. Riconosco anche la foto del suo matrimonio, una sposa sorridente e giovanissima appoggiata
a una ringhiera, sullo sfondo quella che mi sembra la baia
di Napoli, e accanto a lei il marito che ora sta per lasciar-
la ricca e sola.

Alla fine entriamo in uno studiolo spoglio, con le serrande abbassate e una piccola scrivania contro il muro.

– Vuole qualcosa, cara? – mi chiede. Il suo sguardo è ip-
notizzato dal fascio di fogli che ho in mano. Sta tremando.

– È sicura di stare bene? Non è meglio che si sieda? –
domando.

Lei distoglie gli occhi e si insacca su sé stessa. Le spalle
le cadono verso il basso in un gesto di annichilimento re-
pentino. Ho paura che crolli sul pavimento. È un'anima
in pena cui la spina dorsale è stata sfilata via come la lisca
da un pesce.

La sostengo con difficoltà – è il doppio di me – accom-
pagnandola a una sedia dove si abbandona a corpo morto.
Per farlo, sono costretta a lasciare andare il fascicolo delle
carte, che cadono in terra e si sparpagliano sul pavimento.

Lei scoppia a piangere. – Mi dispiace tanto… – Porta
al viso una mano piena di anelli.

– Non si preoccupi, – rispondo rimettendo insieme i
fogli. – Non è successo niente.

Ma lei non si ferma. Il pianto si trasforma in un singhiozzare dirotto. Non fa che ripetere «mi dispiace, mi dispiace», fino a quando non diventa chiaro che tutto nasce da una sorgente di dolore profondissima e impossibile da arginare.

Appoggio le carte sulla scrivania e mi siedo accanto a lei. Le prendo la mano. I singhiozzi rallentano, comincia a balbettare parole smozzicate. Farfuglia in mezzo alle lacrime, e intuisco che condivide con me brandelli di vita familiare. «L'ho sempre amato», ripete in continuazione. «Però non si poteva andare avanti cosí». Non la interrompo, a parte una volta per chiederle se posso portarle un bicchier d'acqua. Mi risponde di no, che non ha bisogno. Vorrei dirle qualche parola di conforto per alleviare la sua pena, ma stonerebbe. Forse la cosa migliore è restare seduta vicino e ascoltarla.

Alla fine si riprende. Fa due lunghissimi sospiri un po' sincopati per recuperare aria nei polmoni.

– Scusi, – dice alla fine. Appoggia il palmo delle mani sugli occhi. Ha il naso violaceo, la faccia disfatta dal pianto, il trucco pesante che cola.

La vestaglia si apre appena, scoprendo una guaina color carne che le arriva fino a metà coscia, rigida e inamidata come quella che portava mia nonna. Sarà per questo che sembra cosí massiccia.

Intorno alla scollatura intravedo la pelle appassita, rugosa. Sento la sua pena, l'annullamento.

All'improvviso si alza e si allontana. Torna subito con una foto in mano. L'avevo già notata prima sul cassettone insieme alle altre, è quella del matrimonio, i due sposi sullo sfondo della baia. Me la porge.

– Eravamo belli?

Prendo la foto, annuisco. Ha bisogno di qualcosa che

l'aiuti a coprire la distanza abissale che la separa dalla sposa
che è stata, e di cui rimane solo l'impronta scolorita nella
foto di una coppia appoggiata a una ringhiera che affaccia
sulla baia di Napoli. Deve essere questo che la annienta.
L'incapacità di comprendere come sia stato possibile arrivare a tanto.

Appoggio la foto sul tavolo.

– Cosa devo fare? – mi chiede.

Non so cosa risponderle. Lei capisce che ho frainteso
la domanda. Sorride.

– Non parlo della mia vita. Dico dei documenti. Cosa
vuole che firmi?

È tornata ragionevole, una donna adulta nel pieno possesso delle sue facoltà.

Le spiego tutto con calma. – Se ha bisogno di tempo
per leggere posso aspettare.

Mi fa segno di no. Le rimane l'energia per un minimo
sforzo.

– Non voglio leggere niente. Mi indichi solo il punto,
per favore.

Mi faccio avanti con il fascicolo e per aiutarla le porgo
un foglio per volta. Lei firma, docile, tirando su con il naso.

Quando abbiamo finito rimetto tutto insieme e chiudo
la cartella. Le domando se vuole che chiami qualcuno ma
lei scuote la testa.

Le porgo la mano. Mi sembra un gesto freddo, inade-
guato per tutto quel dolore, ma cos'altro posso fare?

Lei ricambia. La sua stretta è umida e caldissima, e ha
un accenno di forza, come se malgrado tutto avesse deciso di resistere.

– Sto bene, – dice. – Se non le dispiace però non l'accompagno alla porta.

Le clienti che visito dopo la Pincherle hanno reazioni meno violente ma non troppo diverse. Ogni volta che mi siedo e tiro fuori i documenti vengono assalite dai ricordi.

Qualcuna si autocommisera e se la prende con sé stessa, molte vanno in cerca della mia solidarietà come se potesse alleggerire il peso. Piú di una mi dice è donna anche lei, mi può capire. Una frase che mi fa un effetto strano, come se essere donna volesse dire appartenere a un club. Tutte accennano alle angherie che ritengono di avere subito, e mi salutano quasi con affetto. Il fatto che le ascolti è un conforto. Forse nessuno le ascolta mai.

Solo l'ultima, che è anche la piú giovane, si rivela molto diversa. È una ragazza incolore di venticinque anni. Tutto il tempo che passo con lei lo impiega a insultare il marito mentre guarda la figlia che tiene in braccio, facendo le vocine e strusciando il suo naso contro quello minuscolo di lei. «Quel porco. Quel grandissimo, schifoso maiale», dice canticchiando. La bimba è un fagottino pieno di capelli. La madre le passa il dito sulle labbra di ciliegia, sembra che sussurri una ninnananna inventata apposta per lei, invece è una fiaba familiare piena di rancore per l'uomo che l'ha messa al mondo, rivestito dallo zucchero candito dell'intonazione amorosa della mamma. Ho dovuto distogliere lo sguardo dalla bimba che scuoteva la mani minuscole e rideva come una campanellina, ignara di tutte quelle scorie tossiche che stava assorbendo.

Torno in studio per lasciare i documenti prima di andare a casa. Ormai è quasi ora di pranzo. Deposito il faldone sulla scrivania e sto per uscire quando la luce della linea interna del telefono si accende. È Lepore, si vede che mi ha sentita rientrare.

– Non vada via. Devo farle qualche domanda.

Sembra calmo, ma la sua richiesta mi rende nervosa.

– Mi porti i documenti che ha fatto firmare stamattina. Voglio discutere con lei di alcune cose.

Riprendo il fascicolo. Non riesco a immaginare di cosa voglia parlarmi, considerando la mia totale incompetenza sul diritto di famiglia.

Lui mi aspetta seduto in poltrona e mi fissa con un'attenzione che non gli avevo piú visto dal giorno in cui sono stata in casa sua. Da quando ho cominciato a lavorare qui mi ha ignorata, lasciando che la Callegari facesse da intermediaria a ogni nostra comunicazione. Cosa che mi sta benissimo.

Allunga una mano per prendere il faldone che gli porgo. Apre la prima cartella, si mette gli occhiali e inizia a sfogliare le carte. Non mi invita a sedermi. Per un paio di minuti studia la documentazione e non dice una parola. La densità del silenzio è cosí piena che riesco a sentire l'acqua gorgogliare dentro i termosifoni.

Poi alza la testa.

– Allora, cosa mi dice di Annamaria Pincherle?

Questo mi fa tornare in mente che avevo promesso alla donna di parlargli.

– Sono abbastanza sorpresa che abbia trovato la forza per firmare, era molto turbata.

– Sono sorpreso anch'io. Credevo fosse piú resistente, – e mi fa segno di continuare.

– È una persona molto infelice, – aggiungo, anche se non sono sicura che sia un'osservazione del tutto appropriata, dato il contesto. Lepore sorride.

– È una persona gravemente bipolare. Si vede che l'ha colta nella fase depressiva. Buon per lei, a Giovanna è andata peggio.

– Aveva bisogno di parlarle.

– Sí, immagino. Sono mesi che mi tormenta ai limiti dello stalking. Ragionare con lei è impossibile. Non vuole la soluzione piú efficace sul piano del diritto. Vuole che qualcuno le restituisca la vita che ha perso. O almeno un responsabile su cui infierire. Un cadavere per placare la rabbia. Tutte cose che non posso darle.

– A me è sembrata piuttosto rassegnata, invece. Mi ha detto di aver provato spesso a contattarla negli ultimi giorni.

Lepore annuisce con fastidio, sollevando le sopracciglia. – «Spesso» è un eufemismo. Mi ha chiamato ininterrottamente. E io non le ho risposto, non c'era nessun motivo per farlo. Le ho già spiegato almeno tre volte tutto quello che doveva sapere per concludere la transazione nel migliore dei modi, – replica, – che è il mio unico obbligo professionale. Non sono il suo psicoanalista. E poi ormai ha firmato. Non vedo perché perdere altro tempo –. Getta con noncuranza la cartella sul tavolo.

Il gesto brusco mi disturba, lui se ne accorge. Si rianima e questo all'apparenza dissolve il suo malumore.

– Il nostro fiorellino di campo si è fatto commuovere da una vecchia in disarmo?

Ci metto qualche secondo a capire che sta parlando di me. Fiorellino di campo. Vecchia in disarmo. Espressioni talmente inappropriate che penso di avere sentito male.

– Non mi stupisco, – dice. – Sono circostanze che nelle donne attivano sempre moti di partecipazione. Ma non si sopravvaluti, quella che prova non è pietà. Per la Pincherle o per le altre. È solo la paura che prima o poi capiti qualcosa di simile anche a lei. Inoltre c'è la coesione di categoria contro il maschio, – sottolinea. – Un tema di grande effetto, che compatta tutte le donne di ogni ordine e grado.

Ci rimango come un'allocca. Non l'avevo mai sentito esprimersi in modo cosí crudo. Era stato distaccato, ma-

gari rigido. Questo però è un approccio corrosivo. Il tono
di voce è piú stridulo del normale, come se avesse allentato il controllo sulla morbida vibrazione abituale. Ce l'ha
con la Picherle, certo. Ma non solo, visto che mi include
nel paniere perché sono donna.

La sua attenzione è tutta concentrata su di me. Il teatrino del mio imbarazzo lo diverte.

– Si è fatta conquistare? – dice. – Magari le ha perfino
fatto compagnia per lasciare che sfogasse tutta la rabbia
che prova.

«Non mi sembrava rabbia», penso. Però mi sforzo di replicare come se fosse una normale conversazione da ufficio.

– Non mi ha detto molto di sé, – mento. – A parte la
richiesta di parlare con lei.

– E le altre? – chiede riprendendo in mano i fascicoli
e scorrendo i nomi. – Mi pare difficile che non le abbiano raccontato nulla. Nessuna ha sputato veleno sulla fine
della relazione?

Apre una cartella e tira fuori un foglio.

– Luciana Lodato. Questa, per esempio, era molto promettente.

Promettente? Che vuol dire promettente?

Lui continua. – Una donna giovane, con una figlia pic-
colissima. Non mi dica che ha firmato senza dire una parola, serena e composta nel suo dolore.

Per la prima volta ho la vaga percezione che dietro la
sua apparenza cosí elegante ci sia qualcosa di intrinsecamente volgare. Un grosso macellaio del diritto che pesa
sulla bilancia un chilo di frattaglie avvolte in un foglio di
carta oleata.

Mi chiedo cosa succederebbe se mi alzassi e me ne an-
dassi senza rispondere. Rinuncio solo perché credo di non
potermelo permettere.

– No, lei in effetti mi ha raccontato qualcosa, – dico sottovoce.

– Sentiamo. Non si faccia pregare.

Provo a cercare una via d'uscita ma non la trovo. Lui vuole acuire la mia condizione di disagio. Non considero nemmeno la possibilità di mentire, se ne accorgerebbe.

Gli faccio la cronaca asciutta di quello che ho sentito. Mentre ne parlo mi rendo conto che tutte le clienti da cui mi ha mandato sono nella stessa situazione, affrontano un divorzio conflittuale, e forse non è una coincidenza.

Non mi piace dover parlare della loro disperazione senza riuscire a essere solidale fino in fondo. Perché in qualche caso ho provato disagio, e temo lo sappia anche Lepore. Sentivo che si portavano dentro qualcosa di irrisolto, un odio viscerale e malsano.

Si accorge che il mio resoconto monocorde è un tentativo di fuga, e mi blocca.

– Le ha trovate convincenti?

Tento ancora di non sbilanciarmi, e non dirgli quello che penso davvero. E cioè che, a parte la Pincherle che era disperata, tutte le altre mi sono sembrate tristi, e al tempo stesso sorde e intrappolate dal rancore.

– Non so se volessero convincermi di qualcosa. Magari era solo un modo per sfogarsi di un abbandono.

Lepore ride.

– Rosita, – mi dice, – lei sarebbe commovente se non fosse chiaro che sta solo cercando un modo onorevole per uscire da questa situazione –. Poi gira la testa infastidito. – Del resto è sempre cosí che sostenete questa sorta di pubblica rappresentazione che vi assolve a vicenda, no? Dimostrando una solidarietà d'ufficio le une con le altre, come se foste parte lesa per definizione, e non ci fosse mai una colpa, o una responsabilità. Un modo efficace per ap-

profittare dei benefici di una debolezza biologica, e sfrut-
tarla in maniera selettiva quando fa comodo.

– Sono donne che hanno perso qualcosa, – gli dico con
insofferenza. – È difficile non provare dispiacere per loro.

– Io non ho mai avuto simpatia per chi è responsabile
delle sue miserie. Ne ho viste a decine, in quarant'anni di
attività. Il giorno in cui arrivano da me sono obbligate a
giocare a carte scoperte, perché devono affrontare il fallimento. Sono tutte uguali, anche quando credono di essere
autonome, e magari ciniche. Sembrano indipendenti sul
lavoro, ma non riescono mai a emanciparsi davvero quando
si parla di relazioni, quello è il campo in cui finiscono per
delegare sistematicamente la loro identità a un uomo, e la
felicità a un protocollo. E appena si presenta la necessità
di affrontare un imprevisto – perché la vita fa cosí, non
tutto va come uno si immagina, e non è sempre un male – decidono che non si può piú andare avanti. Neppure
il tempo di farsi una domanda, di chiedersi se quello che
dicono di desiderare coincide con ciò che vogliono davvero, o non piuttosto con l'ossessione di corrispondere a
tutti i costi a uno stereotipo arcaico. Macché, si decreta
subito il fallimento della relazione, e a quel punto c'è un
solo colpevole che deve pagare per tutto, anche per quello
che non gli compete.

Si ferma, forse aspetta una replica.

– Non è d'accordo? Può dirlo. Reggo bene il contraddittorio.

Sono certa che l'ultima cosa al mondo che desidera è
il confronto. Piuttosto, sembra un uomo che sale su un
palco e pretende di essere ascoltato, ma come faccio a dirlo?

– Sono situazioni di cui ha fatto esperienza diretta anche lei. In fondo, – dice, in tono amichevole, – perfino
sua madre è una donna di questo tipo. Suo padre è morto,

d'accordo, in questo caso l'impianto accusatorio è meno
lineare. Ma non è lui che considera responsabile, quando
le rinfaccia di essere andata via di casa con i soldi che le ha
lasciato? Non è suo padre che ha distrutto il nido che lei
aveva invece costruito, e che la confermava nel suo ruolo
di moglie e madre esemplare?

Trattengo la rabbia, perché so che mia madre è proprio
quel tipo di donna, ma lui sta parlando della morte di mio
padre con cattiveria gratuita, usando informazioni che gli
avevo dato in confidenza.

– Non so se tutte le donne siano cosí, – balbetto. – Alcune, forse, certo.

Mi interrompe brusco. – Se lei avesse idea di quanto fat-
tura il mercato dei matrimoni tradizionali, intendo quelli
con una precisa ritualità feudale e certi sfondi da Alto Me-
dioevo, dovrebbe ammettere che non abbiamo fatto molti
passi avanti nell'immaginario femminile della famiglia. E
per conseguenza nelle aspettative.

Che pomposo coglione. Approfitta della sua posizione di
forza perché sa che non posso rispondergli come vorrei. Ma
la carica di disprezzo con cui si è rivolto a me finora è troppo urticante e troppo personale. Sta colpevolizzando anche
me perché sono qui con lui. Non ce la faccio a stare zitta.

– Io conosco anche donne con ambizioni diverse. Capaci
di valutare una relazione per quello che è, di non delegare
niente a nessuno, e di assumersi la loro parte di responsabilità del fallimento, se necessario.

Lepore fa una smorfia, carica di sarcasmo. Si alza e si av-
vicina alla finestra, poi mi fa segno di avvicinarmi anch'io.
Obbedisco, cercando di conservare una minima distanza.
Guardo nella direzione che mi indica.

L'appartamento fa un angolo a L e occupa due lati
dell'edificio. Dalla finestra del suo studio si vede l'uffi-

cio della Callegari, che deve essere appena arrivata perché si sta togliendo il cappotto. Sulla scrivania ha appoggiato il casco dello scooter con cui va e viene dal Palazzo di Giustizia. Porta un vestito rosso che si nota a trenta metri di distanza. I capelli legati in uno chignon sulla testa le dànno un'aria austera, da busto greco. Ogni movimento che fa è preciso e pulito. Non c'è niente di superfluo, niente che non sia funzionale al risultato. Con un unico gesto fluido passa dietro la scrivania, scivola sulla sedia, apre il laptop sul tavolo e afferra una cartella dallo scaffale dietro di sé. Si concentra nella lettura riportando qualche appunto sul computer.

– Cosa mi dice di Renata? – mi sussurra Lepore. – Una donna risoluta, vero? Intimidisce sempre le mie segretarie, e alcune delle mie clienti. Potrebbe essere l'esemplare che ha appena descritto. Il tipo determinato che si assume le sue responsabilità e che conta solo sui propri mezzi.

Aspetta per vedere se approvo. Siccome non lo faccio, va avanti.

– Invece è una variante evoluta dello stesso esemplare di succube. Ha lavorato per anni a costruirsi un'immagine professionale solida. Pensava di essere inattaccabile, ma ha fatto lo stesso errore che fanno tutte. A un certo punto ha incontrato un uomo poco affidabile e l'ha puntato solo perché lui aveva un mediocre successo e rinforzava positivamente la sua immagine di donna in carriera, quindi ha smesso di far conto su sé stessa. Poi, appena la storia ha deragliato, si è liquefatta. Come le altre. Peggio delle altre.

Ha una faccia distesa, appagata. Si accorge che lo osservo, e sfarfalla le dita della mano destra a richiamare qualcosa di impalpabile e privo di sostanza. – Una nullità... – sussurra.

Torna alla scrivania a passi lenti.

– Suo padre mi ha fatto una telefonata in piena notte qualche anno fa. Era disperato, – e con un gesto del capo indica di nuovo la Callegari, – lei era una praticante. Rischiava una denuncia penale che le avrebbe rovinato la carriera prima ancora che cominciasse. Ha passato sei mesi a tormentare l'uomo che l'aveva lasciata a poche settimane dal matrimonio, per un'altra uguale a lei, la sua copia carbone. È crollata come una bambola di pezza. Appena ha perso il controllo della situazione, s'è accorta che la scorza d'acciaio che credeva fosse la sua *forte personalità*, – pronuncia le parole con cura particolare, un insulto studiato, – era, nella migliore delle ipotesi, un disturbo ossessivo, e che a parte quello non aveva altro su cui contare. Ha fatto l'errore di tamponare con un uomo il nulla che aveva dentro, e quando lui l'ha lasciata non è piú riuscita a tenersi in piedi. Gli telefonava cento volte al giorno, l'ha minacciato di andare alla Finanza per raccontare cose poco limpide sui suoi affari. Una sera la polizia l'ha trovata ubriaca in vestaglia sotto il suo portone. Aveva tirato cinque o sei bottiglie di vodka contro l'ingresso, quando l'hanno arrestata era attaccata al citofono a insultarlo. Ha aggredito anche i poliziotti che cercavano di farla ragionare. L'hanno portata via di peso. Ha rischiato grosso.

La sua voce si abbassa di tono, finora si è divertito, ora torna a indossare la maschera della rispettabilità. – L'ho tolta dai guai. Mi odia per questo. Ma sa quello che mi deve. Avrà notato quanto è devota allo studio. Ora si vendica di lui, di me e del mondo adottando uno stile di vita piuttosto promiscuo, o almeno cosí mi dicono, – sorride senza empatia, la caricatura esangue dell'uomo di mondo. – Ma a me non interessa. Finché qui lavora bene può buttare via la sua vita nel modo che preferisce.

Mi ostino a tacere. Non ho altra scelta che tenermi in bilico, a margine di questa conversazione.

Lepore si alza di nuovo in piedi e comincia a camminare avanti e indietro, poi si ferma al centro della stanza.

– Sa perché non sono ancora in pensione?

Scuoto la testa.

– Perché mi diverto moltissimo. Le femmine sono animali interessanti.

«Femmine». Il termine mi disturba come un'unghia che gratta sulla lavagna.

– E questo studio è un punto di osservazione privilegiato per elaborare statistiche comportamentali. Mi affascina il modo in cui la maggior parte di loro scambia per carattere un insieme di automatismi che si attivano in reazione a uno stimolo. Credono si tratti di personalità, invece è un riflesso condizionato: dato un certo input, e tenuto conto delle variabili, il comportamento risulta sempre prevedibile.

Forse è pazzo.

Di sicuro non ne posso piú. Voglio andare via.

Provo a chiudere la discussione sperando di non suonare troppo sfacciata. Anche se è un invasato, io ho bisogno di questo lavoro, e non posso permettermi colpi di testa.

– Perché lo dice a me?

Lui si avvicina. Non riesco a sostenere il suo sguardo e mi fisso i piedi. La voce roca mi arriva dall'alto.

– Perché lei pensa di essere diversa. E questa è la variabile che trovo piú stimolante di tutte.

14 luglio 1959.

L'anno della maturità Ludovico e Guido lo passano insieme a studiare, come sempre, perché sono ambiziosi, competitivi, determinati, e vogliono farsi strada ad ampie bracciate seminando gli inseguitori.

Studiano e parlano, discutono di tutto, ininterrottamente, ma quando si tratta di prendere una decisione si comprendono al volo senza bisogno di dire una parola.

L'ombra virtuale che gettano a terra è quella di due spartani armati, schiena contro schiena, che si proteggono le spalle a vicenda e aggrediscono il mondo con un'arma affilata e un sorriso obliquo.

Alla fine degli orali, prima di conoscere i risultati, una bella mattina di sole rimediano un passaggio in macchina e raggiungono i colli. Si fermano in una trattoria con quattro tavoli e una ventina di sedie spaiate. L'ambiente è rustico, ma il vino è buono. Inoltre li conoscono, sono benvoluti.

A tavola chiacchierano a ruota libera, scaricati dal peso enorme dell'esame. Sulla scuola non una parola, non ne possono piú, preferiscono rievocare qualche avventura. Negli ultimi mesi hanno perfino trovato il tempo di andare a caccia di donne, e sono i primi esperimenti con il sesso. È un'iniziazione, la frenesia è ancora fresca.

Hanno due stili opposti. Guido è giocoso e sfacciato, il genere che si eccita per un rifiuto e insiste allo sfinimento.

Punta quasi esclusivamente ragazze molto devote, e poi è costretto ad avere a che fare con i fratelli, a volte anche con i fidanzati. Ludovico fa a botte per difenderlo, piú spesso per non lasciarlo solo.

Ad aprile hanno trascorso una notte intera al pronto soccorso per farsi medicare.

– Sei un imbecille, – gli ha detto Ludovico tamponandosi un occhio con un canovaccio pieno di ghiaccio.

Guido ha appena riattizzato un faida familiare per il gusto della sfida: portarsi a letto una bella ragazza mora e altissima, erede di una dinastia di imprenditori edili di Abano, che aveva già abbandonato senza spiegazioni tre mesi prima.

– Lo capisci che è ridicolo?

– Parla per te. Domandami se ne valeva la pena, semmai.

– Per chi, per quella giraffa analfabeta? Non riesce nemmeno a parlare in italiano.

– Sei uno snob. Ha altre qualità, le noti soprattutto quando sta zitta, il dialetto non è un problema.

Ludovico invece è un cerebrale. Preferisce le battute ambigue, la provocazione melliflua, e sono molto poche le donne disposte ad apprezzare la sua tattica. Guido gliene impallina moltissime portandoselo via sul piú bello, perché non ha la pazienza di aspettare che concluda qualcosa.

Del resto lo fanno per motivi opposti. Guido per il puro piacere del godimento fisico, Ludovico alla ricerca di conferme e di risposte. Per lui è un mezzo come un altro per comprendere piú a fondo la realtà.

Quando arriva il caffè Guido comincia a stuzzicare l'amico. Lo prende in giro, gli pare che sia troppo selettivo. Ludovico sbuffa, ma sa che in parte è vero. Gli capita spesso di annoiarsi, e scartare vittorie facili, quasi certo che alla fine lo deluderanno. Non incontra mai nessuna che gli sembri alla sua altezza.

– Come fai a saperlo se molli subito?

– Se lo faccio vuol dire che ho già capito che è uguale alle altre.

Guido alza la voce. – Non ce n'è una uguale all'altra!

Ludovico si accende una sigaretta e inclina la testa di lato per proteggere la fiamma da un refolo di vento: – Per te, forse, che sei un visionario. Io sono aristotelico. Tu vedi un mistero, io leggo l'etichetta. E questo mi toglie il divertimento.

Alla fine del pranzo si accorgono che non hanno nessuna voglia di tornare a casa. Sono stati mesi di studio forsennato, c'è ancora troppa tensione da sciogliere.

Decidono di partire su due piedi, non è la prima volta che lo fanno. Non hanno niente con sé, ma non sarà difficile trovare un paio di negozi aperti lungo la strada, specie se puntano verso qualche località di mare. I soldi non sono un problema.

Chiedono due gettoni e chiamano casa per avvisare, attaccando la cornetta sull'eco delle proteste, poi tornano in città e alla stazione saltano sul primo treno diretto verso il Tirreno.

All'inizio pensano alla Versilia. Il tempo di scendere a Firenze e hanno già cambiato idea. Non è della confusione di luglio che hanno bisogno. Vanno in cerca di silenzio, della possibilità di parlare fino a notte fonda senza affogare nel caos. Ripiegano verso la campagna passando da una corriera all'altra. Il Chianti, poi la Val di Pesa, e appena compare l'indicazione per Volterra, poco dopo le sette di sera, decidono di raggiungerla e dormire lí.

La corriera che parte da Colle Val d'Elsa con destinazione Cecina è praticamente vuota. C'è una vecchia seduta davanti che parla con l'autista, e un ragazzino con i capelli

neri spalmati di brillantina e una camicia bianca immaco-
lata che trasporta un grosso cestino avvolto in un canovaccio a scacchi, appoggiato sul sedile accanto. Però scende
presto, a Castel San Gimignano, e sul mezzo restano solo
la vecchia e loro due seduti in fondo, vicini.

A un certo punto la donna tace. Dentro e fuori la corriera c'è lo stesso silenzio.

Guido e Ludovico hanno parlato senza sosta in treno
per quasi cinque ore e adesso sono stanchi. La corriera arranca lenta, fuori è buio. Le uniche cose che si distinguono
sono la strada sotto le ruote, e le luci distanti dei casola-
ri in lontananza. Fa molto caldo, una pesantezza acquosa
appena attenuata dall'aria smossa dal movimento.

Ludovico si sente a disagio e non capisce bene perché.

– Potresti venire con me, e studiare Medicina, – dice
Guido, all'improvviso.

È la prima parola seria sul futuro che si scambiano da
quando hanno lasciato Padova. Fino ad allora hanno fatto
solo chiacchiere senza senso e progetti velleitari di viaggi
e partenze.

– Non ti piacerebbe?

Il piacere non c'entra, pensa Ludovico. Non è nemmeno
implicato. C'entra la strada già tracciata, che va in una direzione diversa. Gli pare di cominciare a distinguere l'origine
del suo fastidio. Si agita sul sedile, cambiando posizione.

– Immagino di sí. Non è questo il problema.

– E qual è allora? Pensi che non te lo permetterebbe-
ro? – chiede Guido con malizia. Sa dove colpire. Ludovico non è uno che si piega volentieri.

– Perché non vieni tu a studiare Legge con me, allora? –
gli domanda l'altro sorridendo. Poi gira la testa fissando il
profilo di Guido. – Non ti piacerebbe? – dice a voce alta
facendogli il verso e scandendo le sillabe in modo teatrale.

Ridono insieme e il nodo si scioglie. Hanno fatto tutti quei chilometri senza nemmeno sfiorare l'argomento, che è l'unico vero motivo per cui sentono il bisogno di andare tanto lontano da casa, insieme. Forse ora sono pronti.

È la separazione ad atterrirli, perfino quella poco impegnativa di un corso di studi. Il primo passo di un bivio che impedisce di proseguire perfettamente allineati. Un'avvisaglia tenue di vita adulta, quella in cui qualcuno potrebbe prendere il posto di Ludovico accanto a Guido, o di Guido accanto a Ludovico. Entrambe le ipotesi sembrano intollerabili.

La risata si acquieta all'improvviso. Il disagio di Ludovico rialza la testa e contagia entrambi.

Tra gli alberi, sulla destra, compare la rocca di Volterra. Al primo incrocio la corriera abbandona la via secondaria che sta percorrendo e svolta su una provinciale.

Guido ha una ruga verticale in mezzo alla fronte. Ludovico sa cosa significa: l'incunearsi nella carne di un pensiero che non riesce a tollerare. Alla fine sbotta:

– Non riesco a capire per quale ragione tutto debba essere già stabilito. Nemmeno mi interessa fare il medico!

– E cosa vuoi fare? L'avvocato? – chiede Ludovico. Ma è una provocazione inutile. Sbattono come falene contro una lampada, nel tentativo di scivolare via da quella sacca di frustrazione.

Guido non risponde. La ruga sulla fronte si approfondisce.

La corriera frena e accosta sulla destra in un punto in cui la carreggiata si allarga. Ludovico, che è seduto vicino al finestrino, guarda fuori cercando di capire perché. Non riesce a vedere la paletta di una fermata, ma forse solo perché è davvero buio.

Nel silenzio della sera, a motore spento, il frinire dei grilli arriva da molto lontano e invade l'abitacolo della corriera. L'umidità si addensa come una bolla che preme da tutti i lati.

La porta anteriore si apre stantuffando, e la vecchia scende con calma, tenendosi salda alla sbarra di metallo finché non è certa di avere entrambi i piedi ben piantati a terra. Si gira e solleva la mano per salutare l'autista, poi si avvia verso i campi.

All'improvviso Ludovico si ricorda di essere piú vecchio di Guido.

Non di molto, qualche mese, ma da sempre per un tacito accordo questo gli attribuisce una posizione di responsabilità. Nei momenti difficili compete a lui trovare una via d'uscita, tanto piú che è l'elemento lucido, analitico. Guido è troppo pigro per prendere decisioni. Su di lui si può far conto quando serve un atto temerario, non una strategia. Oggi poi Ludovico avverte un'urgenza particolare, sa che è essenziale parlare per primo, ma ha le stesse perplessità di Guido, e non osa pronunciare una parola per paura che sia quella sbagliata.

Segue di sottecchi il gesto lento del braccio di Guido che si passa una mano tra i capelli fissando lo schienale del sedile dritto di fronte a sé.

Nella mente di Ludovico appare una domanda compiuta, luminosa come un'insegna. «Cosa succederebbe se ci guardassimo ora?»

Deve trattenersi per non pronunciarla a voce alta, tanto forte è stato il volume interno a cui l'ha sentita risuonare. Da quale profondità è risalita? Ludovico capisce che la risposta è l'unica cosa che conta, ma anche l'ultima al mondo che vuole sapere.

Si alza in piedi.

– Ho bisogno di sgranchirmi le gambe, fammi passare, per favore.

È una scusa. L'unica cosa che sa con certezza è che deve allontanarsi da lí, spezzare quell'atmosfera, schivare la domanda, e solo allora potrà guardare Guido negli occhi senza pericolo.

Prova a scavalcarlo, ma Guido gli mette una mano sul braccio e la chiude a tenaglia. Ludovico, la gamba destra già sollevata, si divincola senza riuscire a scivolare via.

– Perché te ne vuoi andare? – chiede Guido. – Di cosa hai paura?

Ludovico non lo sa. Ma capisce che Guido è arrivato a farsi la stessa domanda, quasi nello stesso momento. La differenza fra lui e Guido, del resto conforme al loro carattere, è che gli provoca molta meno paura, e molta piú curiosità. Guido non pensa nemmeno di alzarsi e scappare. Piuttosto sceglie l'atto di coraggio, la sua specialità. Tira fuori il rospo: ne vuole parlare, e poi vedere cosa succede.

Ma non può permettere che Ludovico si allontani. Il varco si è aperto in quel luogo e in quel momento, e non era mai accaduto prima, il che è incredibile considerando che hanno trascorso insieme quasi ogni attimo di vita cosciente.

Loro due, seduti l'uno accanto all'altro, nella corriera che ancora non è ripartita e frigge al caldo e all'umido di luglio, con i grilli che fanno un rumore d'inferno, e la rocca di Volterra sullo sfondo. Cambiare un solo elemento significa mutare la configurazione. Quello che ora è chiarissimo, che è emerso da una profondità sigillata, è pronto a richiudersi e sparire in un secondo se non viene portato alla luce.

– Fidati di me, – dice Guido, annuendo con dolcezza. L'altro torna a sedere. E finalmente si guardano.

Ludovico rimane in bilico ancora un secondo, poi l'inversione di ruoli lo tradisce. Stavolta è Guido quello che si assume la responsabilità della decisione: allarga la frat-

tura piuttosto che richiuderla fingendo di non averla vista.
Ludovico lo segue. Come gli è stato chiesto, Ludovico si
fida, e quello che deve accadere accade. Limpidamente,
in pienezza, come ogni atto che rispetta la sua natura e
segue il suo corso.

Dura il tempo di un bacio, lungo, e pieno di verità pe-
rentoria.

Poi in Ludovico risorgono le certezze, il peso dell'ambiente in cui è cresciuto, e suona un allarme che lo mette
sull'avviso. Una cosa del genere non può essere concepita,
prima ancora che tollerata.

Respinge Guido con violenza. Riesce a scavalcarlo e si
allontana. L'amico non lo ferma, non dice una parola, e
questo è ciò che lo sconvolge piú di tutto. Non fa alcun
tentativo di giustificare quello che è appena successo, o di
sminuirlo in qualche modo. Non prende le distanze.

Ludovico cerca di recuperare il controllo. Si muove lungo il corridoio e arriva quasi all'altezza del conducente.
L'uomo immagina sia venuto a chiedere spiegazioni per la
fermata imprevista, e lo anticipa.

– Ripartiamo, ripartiamo subito. Per Volterra, vero?
Tra cinque minuti ci siamo.

Ludovico annuisce e poi non sa piú cosa fare. Non gli
rimane che girarsi e avviarsi di nuovo verso il suo posto.
Mentre si avvicina osserva Guido che è immobile, a braccia conserte, un sorriso arcaico sulle labbra.

«Come puoi essere cosí sicuro di te?» pensa, sconvolto.
E sente di odiarlo con tutte le sue forze.

6.

Mi ci vogliono diversi giorni per smaltire il retrogusto acido del colloquio con Lepore. Per qualche tempo vivo nella paura che mi richiami nello studio e riprenda i suoi deliri misogini.

Ce l'ho soprattutto con me stessa, per avere subito senza reagire. Sarebbe stato un rischio imbarcarsi in una polemica aperta, magari è permaloso. Poteva decidere di buttarmi fuori su due piedi. Ma è anche vero che non ci ho nemmeno provato. Mi ha colto cosí di sorpresa che non sono riuscita a pensare a qualcosa di efficace. Non sono brava a rispondere a tono, le repliche migliori mi vengono in mente sempre due giorni dopo.

Mia madre, che non abbassa mai la guardia nell'intercettare il mio disagio se può usarlo contro di me, ha intuito che qualcosa non andava, e ha intensificato la frequenza delle chiamate. Stavolta è stato duro nasconderle quello che era successo. Non voglio nemmeno immaginare il circo che monterebbe se sapesse che Lepore mi ha parlato in quel modo, del tutto fuori contesto, facendo delle insinuazioni perfino su di lei. Senza contare la soddisfazione di sbattermi in faccia che lei lo aveva detto fin dall'inizio, non mi sarei mai dovuta fidare. Sarebbe capace di prendere un treno e riportarmi a casa per i capelli.

Sono riuscita a far finta di nulla, ma mi è tornata la dermatite che era scomparsa anni fa, quando sono partita.

Un'irritazione fastidiosa che mi fa prudere i palmi delle mani e mi costringe a sfregarmele come se fossero sporche. Certe volte sembro Lady Macbeth, o una matta con una patologia compulsiva.

Per fortuna in questi giorni Lepore non si è fatto vedere in studio, ormai è piú di una settimana che manca, e la Callegari non mi dice una parola. Io di certo non chiedo dettagli.

Tanto vale liquidare la faccenda. In fondo non è successo niente di grave. Magari aveva avuto una giornata difficile, e quello è il sistema che usa per elaborare lo stress. È un uomo anziano, che non ci tiene ad apparire affabile né progressista. Si è sfogato con una dipendente, come accade ogni giorno a ogni angolo del mondo. Non significa niente di piú di quello che è stato.

Mi incoraggia anche il fatto che in studio imparo piú in fretta di quel che pensavo. L'attività è davvero ridotta. Non ricevo piú di cinque o sei telefonate al giorno, e ho cominciato a familiarizzare con l'archivio a una velocità che sorprende perfino la Callegari.

Non che me lo dica. Non mi ha mai rivolto una parola gentile, né un'osservazione che potesse somigliare a un complimento. Ma le poche volte in cui ho fatto un errore è stata cosí determinata nel farmelo notare che se i miei standard fossero davvero bassi la sconterei senz'altro in modo peggiore.

Ho molto tempo per studiare, in pratica ci riesco quasi ogni giorno. A volte trascorrono due ore intere senza che nessuno mi cerchi. Riesco a fare anche un paio di capitoli prima di essere richiamata per qualche impegno. E dopo il lavoro mi resta sempre mezza giornata libera.

Quando finisco, scendo le scale di corsa mangiando una banana. Poi mi infilo nella prima aula studio dove trovo

un buco per sedermi e mi ributto sul libro. Va cosí bene
che ancora prima che iniziasse il secondo semestre sono
riuscita a preparare un esame. Era Bioetica, una cosetta
poco impegnativa da quattro crediti, ma ho preso venti-
nove. L'aver fatto un minuscolo passo avanti mi ha galva-
nizzata. Adesso sono di nuovo sotto con Fisiologia, e sono
quasi certa che, se le cose proseguono cosí, per la sessione
estiva potrò lasciarmelo alle spalle.

Continuo a ripetermi che è stato un episodio isolato. Non
è successo niente. Ogni giorno che passa è sempre piú chiaro che ho bisogno di questo lavoro. E non posso metterlo in
discussione per una tirata aggressiva dell'avvocato Lepore.

Ho ripreso a frequentare le lezioni e mi sono sentita cosí
bene che ho dimenticato tutto il resto. Stamattina in facoltà avevo lo stesso entusiasmo infantile che ricordo benissimo nel mio primo giorno di frequenza, sette anni fa.

Entrare di nuovo in quest'aula a emiciclo, con i banchi
scrostati ricoperti di formica verde, mi ha messo addosso
un'eccitazione quasi frenetica. Credo di essere stata la prima ad arrivare, e ho attraversato la soglia con quel tipo di
rispetto religioso con cui si entra in una chiesa: mi è mancato tanto non essere piú parte di tutto questo.

Il corpo umano è una cosa che mi ipnotizza fin da ragazzina. Le dinamiche dei fluidi, il ricambio ininterrotto
delle cellule, l'equilibrio omeostatico, sono processi che
mi incantano.

Alle medie in classe c'era un poster alle pareti che illu-
strava il ciclo di riproduzione. La cellula era enorme, come
un pianeta, colorata in rosa e verde. L'interno era viola, i
mitocondri arancioni, l'apparato di Golgi, avvolto a spira-
le, di un giallo carico. Si apriva al centro, e attraverso un
varco occhieggiava il nucleo di un verde accesso. Gli acidi

nucleici erano segnalati dalle didascalie, ma non avevano colore né forma. Te li dovevi immaginare, con tutto il loro carico di potenziale genetico.

Sembrava una pianta carnivora, ma non mi faceva nessuna paura. Perché sapevo che finché c'è vita la dinamica della trasformazione non si interrompe mai, e la cosa mi dava pace. Me ne stavo ore sdraiata a immaginare le cellule del mio corpo impegnate nella riproduzione, come una sinfonia silenziosa. Mi pareva che non ci fosse niente di piú giusto. Non importa se stai bene o male, se sei infelice o pensi a te come un miserabile senza speranza. A livello cellulare il ciclo di riproduzione si svolge per tutti allo stesso modo. A livello cellulare l'inadeguatezza non è codificata.

Mi piaceva cosí tanto che per un po' sono stata indecisa se studiare Medicina o Biologia. Poi ho scelto la prima, perché mi consentiva di esercitare una professione che va oltre la conoscenza del processo, e interviene su un equilibrio alterato per restituire uno stato di benessere. La cosa piú vicina all'onnipotenza che riuscivo a immaginare.

Quando gli altri studenti hanno cominciato a entrare ho fatto finta di leggere gli appunti. Ho guardato le facce di sottecchi, anche se ormai non conosco quasi piú nessuno. I miei compagni di corso, quelli con cui ho iniziato, hanno mollato da anni oppure sono alla fine. Ci sono solo ragazzi molto piú giovani, e forse un paio di persone che conosco a stento e che ho salutato alzando appena la mano.

Non importa. Non sono qui per stringere amicizie. Sono qui per imparare e andare avanti.

Mi godo la mattinata di lezione come uno spettacolo teatrale. Non mi abbatte niente, nemmeno le due ore di Chimica che sono un delirio. È la prima lezione del semestre, un disastro per tutti. Il docente cerca di venirci incontro, si vede che non vuole scoraggiarci.

Anche se si mette d'impegno però resta una disfatta totale. Quello che spiega, secondo lui, è solo un veloce ripasso dei prerequisiti del corso. Ho visto gli studenti chini a prendere appunti sollevare le teste e scambiarsi sguardi perplessi. I piú resistenti, quelli messi meglio come nozioni di base, sono riusciti a tenere la testa piegata sul foglio ancora una ventina di minuti. Alla metà della prima ora non scriveva quasi piú nessuno. Il professore se n'è accorto, ha provato a rallentare, e ha ripetuto due volte certi passaggi sottolineando le formule alla lavagna. È stato come costruire sulla sabbia. Lo sconcerto era palpabile, anche lui era piuttosto sorpreso.

– Questo è programma del quinto anno delle superiori, dovrebbero essere cose già note, – ha detto esasperato. Ho guardato in giro le facce dei miei compagni. «Se lo dice lei...»

Mentre mi affollo con gli altri ragazzi all'uscita durante la pausa di metà mattina, raccolgo il loro sconcerto serpeggiante e lo confronto con il mio entusiasmo. Neppure io ho capito quasi niente. Rispetto a questa massa di studenti terrorizzati del primo o del secondo anno – gente che ha davanti a sé una mole di esami grande come una montagna, e che non sa da che parte iniziare – non sono in condizioni migliori. Ne ho fatto qualcuno in piú, però non posso essere definita una studentessa brillante, e certo non sono una che comincia a vedere la fine del tunnel.

La mia è una brutta situazione, per molti versi peggiore della loro, che se non altro sono in corso. Allora perché sorrido? Perché malgrado questo sono ancora qui. Perché io non ho mollato.

Ormai ho la mia routine. Arrivo in studio e mi infilo in archivio per cambiarmi velocemente, anche se è probabile che oggi non passi nessuno. O almeno è cosí che ho trovato scritto nel post-it sulla scrivania quando ho appoggiato lo zaino. Potrei tenere i jeans, ma mi sembrerebbe di tradire la fiducia di qualcuno.

Infilo le calze, la gonna nera che è la mia preferita tra le due che ho sistemato, e la camicetta bianca che viene sempre dal guardaroba della Callegari. Mi fermo a guardarmi allo specchio.

Non sono abituata alle mie gambe scoperte, la camicia mi tira un po' sui fianchi e sul seno e mi fa sentire a disagio. Come se qualcosa dentro di me spingesse per farmi uscire da un angolo dove mi sono sempre trovata bene. Mi sento anche ridicola a sporgermi verso lo specchio per passarmi il rossetto. Un gesto che non mi appartiene, e che mi sembra il frutto di una femminilità artificiale. Però sono costretta a dare ragione a Lepore: la vita è diventata piú facile.

Me ne sono accorta quando è passato un corriere Dhl qualche giorno fa. Ha suonato mentre stavo finendo una telefonata.

Ho schiacciato l'interruttore di apertura sotto la scrivania e l'ho invitato a sedersi e aspettare un minuto. Lui però è rimasto in piedi.

Si è messo a fare avanti e indietro tra le grosse piante in vaso nell'angolo e la vetrina con i tomi della Utet e i volumi rilegati del «Foro Italiano».

– L'udienza è fissata per lunedí 24 settembre. Non questo settembre, no. Il prossimo. Non credo sia possibile anticiparla, non dipende dall'avvocato, si figuri. Può parlarne direttamente con lui, aspetti, mi faccia verificare il suo appuntamento...

Mentre controllavo l'agenda, il corriere ha cambiato idea e si è seduto sulla poltrona di fronte a me. Mi fissava con una certa insistenza.

«Mi sono macchiata? Con cosa? Non ho mangiato né bevuto niente da quando sono qui». Ho cominciato a innervosirmi.

Nel frattempo l'uomo al telefono non mollava e continuava a farmi domande, era chiaro che stava scaricando l'ansia. Ho provato a intendermi a gesti con il corriere per spiegargli che, se bastava una firma, potevo farla anche parlando al telefono. Ma lui ha scosso la testa, facendomi capire che c'era dell'altro.

Aveva un modo particolare di guardarmi, che non mi era familiare. Ho molto chiara l'immagine di me riflessa nello specchio la mattina. Sono una donna anonima. Non ho nulla che richiami l'attenzione. E so quale tipo di occhiate attiro in condizioni normali. Quelle che ti passano da parte a parte e non rilevano la tua presenza se non come ostacolo da aggirare per non sbatterti contro, e a volte nemmeno quello.

Invece il corriere non riusciva a dissimulare un'intenzione. Sono cosí poco abituata a quel genere di sguardo, che quasi comincio a balbettare al telefono. Non c'era neutralità nei suoi occhi, la pura dinamica dell'atto di vedere per coordinarsi nello spazio. C'era un'ipotesi di desiderio. Non so se dipendesse dal fatto che indossavo una gonna piuttosto corta o dal rimmel che mi ero passata secondo le precise indicazioni date dalla Callegari tempo prima, mentre io non riuscivo a smettere di ridere. A un certo punto l'avevo fatta anche innervosire.

«Cosa c'è?» mi aveva chiesto freddamente. E io: «Scusi, non voglio offenderla, magari è difficile da credere. Ma so dove va il rimmel. O il fard».

Lei, guardando i tubetti che aveva in mano, me li aveva fatti oscillare sotto il naso. «Questo è mascara, – aveva detto. – E questo invece è un blush. Nemmeno mia nonna dice piú *fard*. A parte questo, io avrei altro da fare, se non ti spiace, e a differenza di te non mi sto divertendo. Quindi ascolta quello che ho da dirti e facciamo in fretta».

Alla fine sono riuscita ad attaccare. Il corriere mi ha sorriso e mentre mi faceva firmare ha buttato un'occhiata dentro la scollatura. Ho portato istintivamente la mano sinistra al collo mentre gli restituivo la penna. Mi ha allungato una busta formato A4 piuttosto pesante.

– Grazie, – ho detto.

– Di niente. Il ritiro?

In un attimo mi è tornato in mente tutto. Mi sono premuta la mano sulla bocca per la disperazione: la Callegari mi aveva avvisata il giorno prima dicendomi che non aveva il tempo di rientrare in studio. Mi aveva dato appuntamento di fronte al Palazzo di Giustizia consegnandomi un pacco con tutte le istruzioni per l'invio. Lo stesso pacco che avrei dovuto affidare al corriere, se non fosse che solo in quel momento mi ero accorta di averlo lasciato al bar di sotto, dove avevo preso un caffè prima di salire.

Ho avuto un principio di crisi isterica. Non sapevo cosa ci fosse dentro, ma l'idea di averlo dimenticato mi sembrava un fatto gravissimo. Sarebbe stato ironico farsi cacciare per una svista simile, dopo essere stata assunta per aver ritrovato un portafoglio.

Stavo per scendere di corsa quando il telefono ha squillato. Il corriere è stato di una disponibilità disarmante. È sceso al posto mio per informarsi, poi è risalito per dirmi che al bar avevano trovato il pacco e l'avevano messo da parte, ha aspettato che telefonassi di sotto per autorizzarlo al ritiro a nome dell'avvocato, e dopo averlo preso è tornato a consegnarmi la ricevuta. In totale ha fatto tre volte le scale a piedi, perché l'ascensore era rotto.

Ho cercato di sintetizzare mentalmente gli incontri fortuiti accumulati nella mia vita prima di quel momento, e mi sono resa conto che non mi era mai capitato che qualcuno mi dedicasse cosí tanto tempo nel pieno svolgimento del suo lavoro senza ricavarne vantaggi immediati. La cosa mi ha turbato. Com'è possibile che bastino questi trucchi da quattro soldi per ottenere attenzione?

Ho continuato a pensare a quell'episodio tutto il pomeriggio. Poi alle sei, poco prima di uscire, mi telefona Maurizio. Ha qualche ora libera, è dalle parti dell'ufficio, chiede se ho finito. Magari si può comprare qualcosa da mangiare e cenare a casa mia.

– Fino a che ora puoi fermarti? – gli domando. Faccio molta attenzione al suo tempo, perché è sempre poco e mi sembra brutto sprecarlo. Sono un'esperta di logistica sentimentale.

– Piú del solito. Libero fino alle undici. Passo? Dammi l'indirizzo preciso.

Arriva venti minuti dopo. Prendo l'ascensore invece delle scale per fare piú in fretta, e solo a quel punto mi rendo conto che non mi sono tolta il trucco e non mi sono neppure cambiata. Mi assale l'imbarazzo, come quando fai una cosa che non è da te e il mondo ti guarda per ridicolizzarti. Che poi è un trucco leggero, non saprei fare niente di complesso come i make-up della Callegari.

Sbuco nell'atrio e mi do un ultimo sguardo allo specchio. Sistemo la frangia passando le mani tra i capelli. I miei occhi risaltano più scuri e densi sotto le ciglia pesanti. Sento l'ombra di un potere che mi disturba e mi emoziona insieme.

Mi attraversa un pensiero: «Posso essere cosí».

Subito dopo una voce nella mia testa replica: «Dovresti vergognarti di essere cosí».

È quasi simultaneo. Una frase mi spinge avanti e l'altra indietro, e non mi decido a uscire dal portone.

Ci pensa Maurizio, che mi vede da fuori ed entra a salutarmi.

È allegro e distratto, mi bacia senza quasi guardarmi, e io provo un filo di delusione. Evidentemente sono sempre la stessa. Chissà cosa mi ero illusa di sembrare, o cosa credevo che avrebbe notato.

Ci mettiamo a passeggiare sotto braccio raccontandoci la giornata. È da tanto tempo che non ci sentiamo. Poi il suo cellulare squilla e lui si allontana di qualche passo. Quando è con me il cellulare squilla sempre. La vita lo perseguita a tutte le ore.

Mi metto a guardare i negozi. C'è un centro estetico con un grosso specchio in vetrina incorniciato da decorazioni floreali. La voce di Maurizio va e viene a ondate mentre lui passeggia alle mie spalle. Di nuovo mi vedo diversa, come se il trucco nascondesse qualcosa di me e al tempo stesso potenziasse un talento che non sapevo di avere. A un certo punto nel riflesso dello specchio appaiono due ragazzi all'incirca della mia età. Sono in coppia, e lei si ferma accanto a me.

Lui fa una faccia esasperata: – Anche qui? Hai guardato tutte le vetrine. Ti prego. Non ce la faremo mai!

Lei mette su un broncetto e sbuffa, come una bambina. Pare voglia dire «la fai sempre tanto lunga». Tira fuori il cellulare dalla borsa e lo punta per scattare una foto alla tabella con gli orari del centro affissa in vetrina.

– Ci metto un attimo. Prendo solo il numero, non si sa mai.

Poi mi sorride. Mi accorgo che la sto intralciando, indietreggio un po' e la guardo meglio. Una ragazza bellissima, con un cappottino nero e corto, allacciato in vita, che le sta d'incanto. Si muove con calma, senza preoccuparsi dell'insofferenza del suo accompagnatore. Un po' come Maurizio con me.

Mentre il ragazzo si allontana dalla vetrina i nostri sguardi si incrociano. Due reietti nel buio. Mi viene spontaneo sorridere anche a lui, per condividere il destino di creatura abbandonata. Mi ricambia, ma oltre alla simpatia c'è un interesse diverso. Istintivo, leggermente famelico. Fa un passo noncurante per avvicinarsi a me.

La ragazza, che fino a un attimo prima era distratta, nota il movimento allo specchio e si riattiva immediatamente come se qualcuno avesse premuto l'interruttore della sua attività corticale. Si volta e gli si appende al braccio.

– Andiamo. Ho finito.

Lui non distoglie subito gli occhi dai miei, e perfino mettendosi in moto continua a voltarsi di sottecchi prima di girarsi nella direzione opposta.

Se ne accorge anche Maurizio, che ha appena chiuso la telefonata e sta tornando verso di me.

– Amici tuoi?

– Mai visti prima.

– Sembrava che lui ti conoscesse.

– Non mi pare proprio, – e mi avvio verso l'insegna del take away illuminata. – Dài, andiamo, non ho mangiato niente tutto il giorno. Gli afferro la mano.

Lui mi blocca costringendomi a girarmi.

– Hai qualcosa di diverso.

– Ma che dici? Cosa?

Si avvicina e mi fissa negli occhi. Infila un dito nella scollatura della camicetta con delicatezza, passandolo sotto l'orlo del reggiseno, e io sento la vibrazione elettrica del desiderio. Per la testa mi balena un pensiero: «Sta' a vedere che bastano due passate di rimmel per trasformare una donna in una puttana».

E scoppio a ridere come un'invasata. Di nuovo mia madre si materializza al mio fianco, ridere mi sembra il modo migliore per esorcizzarla.

Maurizio non capisce, ma ride con me.

– Non prendermi per il culo, scostumata.

– Ma se ti dico che non li conosco!

– Va bene, non li conosci. Ma hai qualcosa di diverso. Fatti guardare, stai ferma.

Invece di permettergli di farlo, senza pensarci cavalco quest'onda sotterranea di energia e attrazione che mi fa sentire potente, e lo tiro verso di me baciandolo a lungo, a fondo, esercitando un controllo che di solito detiene lui. Io lo bacio, e lui si fa baciare. Avverto la sorpresa, e il piacere di un gesto di cui non mi credeva capace.

– Tu hai proprio tutta questa fame? – mi chiede quando lo lascio andare, e la voce gli trema un po', strano, lui sempre cosí controllato.

– Sí, ma qui è aperto fino a mezzanotte. Possiamo scendere dopo.

Gli afferro la mano e stringo forte. Poi ci buttiamo verso il mio portone salendo di corsa le scale come se dovessimo spegnere un fuoco, e arrivati di fronte alla porta della mia stanza non abbiamo già quasi piú niente addosso.

7

Qualcosa sta vibrando da ore.

Il rumore va e viene, e a tratti affonda nella melassa del sogno, assumendo la forma di un uccello aggressivo. Nel sogno sono indifesa e spaventata, e mi tuffo in una buca per sfuggire agli artigli.

Poi un brandello di coscienza si attiva. Risalgo in superficie quel poco che serve per imbastire un ragionamento.

Non può essere il mio telefono, mi dico. Lo spengo sempre quando sono con Maurizio, di cellulare che squilla basta il suo. Eppure quel ronzio secco e gracchiante sembra proprio un apparecchio che vibra su una superficie rigida.

Apro un occhio. Lo vedo sulla scrivania sotto la finestra. Trema a intervalli regolari, quasi stesse inviando un messaggio Morse. Lo prendo in mano e ne ho la conferma: non è il mio. Nello stesso momento realizzo che Maurizio dorme accanto a me nel letto, a pancia in su e braccia spalancate, beato come un innocente.

Afferro la sveglia e guardo l'ora: le sette e mezza.

Ci siamo addormentati. Cazzo, cazzo, cazzo.

Lo scuoto con uno strattone: – Maurizio, svegliati!

Lui si gira e mi dà le spalle. Poi si rende conto della situazione. Salta a sedere sul letto, mi strappa la sveglia dalle mani e comincia a imprecare.

– Cristo santo, perché non mi hai chiamato?

– È quello che sto facendo. Mi sono addormentata anch'io.

Prima che riesca a finire la frase è già saltato dentro ai pantaloni. I boxer non li considera neppure, li vedo gettati per terra. Infila anche il maglione e le scarpe, e tutto quello che non indossa se lo caccia in tasca. Si muove cosí veloce che mi stordisce.

Sento la sua rabbia silenziosa che scorre in profondità, parallela alla preoccupazione. In qualche modo ce l'ha con me. Ma mette tutto da parte. Ha qualcosa di piú urgente da fare: costruire una scusa credibile per aver passato la notte fuori casa senza avvisare. Buona fortuna.

Ho ancora in mano il suo telefono, che non ha mai smesso di vibrare.

Glielo porgo: – Squilla da un po'.

Lo afferra. Ficca anche quello in tasca senza guardare.

– Non ora, – dice. Ora non saprebbe cosa dire. Ha bisogno di tempo.

Si guarda in giro voltando la testa a destra e a sinistra, poi individua il trench buttato sulla scrivania e lo afferra a rovescio. Un mazzo di chiavi cade e fa un casino fragoroso nel silenzio del primo mattino.

Restiamo immobili per un attimo, paralizzati dal rumore. Le mie coinquiline non sono particolarmente silenziose. Spero che questo giustifichi il fatto che per oggi la quota di casino spetta tutta a me, che non la uso mai.

Maurizio è pronto. Si muove verso la porta. Non sarebbe la prima volta che sparisce senza tante cerimonie. In genere succede mentre parla al cellulare, perché è troppo preso per accorgersi di avermi fatto a malapena un saluto frettoloso con la mano. Oggi poi le circostanze lo giustificano.

Però è una cosa che odio, anche se non riesco mai a dirglielo. Sul momento non voglio interromperlo, e quando lo rivedo magari è passata una settimana, anche due, a volte perfino un mese. Mi sembra da maniaca rivangare una piccola disattenzione di tanto tempo prima.

Il problema tra di noi è che non esiste nessuno spazio di negoziazione. Non ci sono occasioni per smussare gli spigoli, o provare a costruire una rete di cura per i bisogni dell'altro. Ogni volta è come fosse la prima, si ricomincia da capo, due perfetti sconosciuti che devono imparare tutto l'uno dell'altra. Magari è anche per questo che continua a piacermi tanto. Forse la chimica e l'intimità sono inversamente proporzionali.

Mi ripeto spesso che non ha senso andare avanti in questo modo. Però sono cosí isolata da tutto che non riesco a liberarmi dal bisogno che ho di lui. So che potrei sopravvivere se lo lasciassi, lo so per esperienza, e non è il fatto di restare sola che mi preoccupa.

Quello di cui ho paura è che il mio talento diventi un'abitudine, un vestito che non riuscirò piú a togliere. Non è solo la scialuppa a cui mi attacco per non affogare, è anche la barca che prende il largo finché la terra non scompare all'orizzonte. Sto bene da sola e mi dimentico del mondo. La facilità con cui mi adatto al contenitore della solitudine come fossi un liquido è il prezzo che pago per non affogare.

Per un attimo spero che Maurizio mi aiuti a restare legata alla terra. Che prima di uscire torni indietro e mi abbracci, perché è stata una notte potente e lui lo sa quanto me.

Mi accontenterei perfino che lo facesse per un motivo piú prosaico. Per esempio perché non ci vedremo per un lungo periodo, visto che dopo stanotte chissà quanto dovrà pagarla.

Per lui invece è diverso. Ha bisogno di recuperare la distanza, l'intimità lo fa sentire in pericolo.

Infila la porta e scappa di corsa mormorando «scusa, ti chiamo».

Io resto sul letto a guardare il soffitto.

Piú il sesso gli è piaciuto, piú alta è la velocità con cui si dilegua. Magari è un caso, ma non credo.

L'unica cosa che mi resta è la voce giudicante di mia madre nella testa.

So come reagirebbe se sapesse che ho una storia con un uomo sposato. Nemmeno io credevo che sarei finita in una situazione simile. Non perché condivida il suo moralismo. La sola idea che l'abbia fatta diventare quella che è mi basta a capire che non ci tengo.

Certe forme di educazione però diventano riflessi condizionati anche quando non le condividi. Passano attraverso la pelle e l'aria che respiri.

Non sono stupida, lo so anch'io che un uomo sposato è uno che non avrai mai per te, qualsiasi cosa ti prometta, specie in prossimità di un orgasmo. Paradossalmente è proprio questo che mi ha spinta verso di lui, all'inizio, quando l'ho incontrato: che non mi ha promesso niente. Non ha recitato il copione del traditore. Non si è mai lasciato andare alle banalità dell'uomo fragile e incompreso.

L'ho conosciuto un paio d'anni fa al supermercato. Era il responsabile dei lavori di ristrutturazione del condominio di fronte.

Faceva un salto ogni giorno a controllare gli operai all'ora di pranzo, spesso scendeva a prendere pane e mortadella per tutti.

Abbiamo cominciato a chiacchierare e non so cosa possa averlo colpito di me. Una volta mi ha detto che è stato perché un giorno mi ha sentita fare una considerazione che gli è sembrata intelligente, e che l'ha toccato.

«Che cos'era?» gli ho chiesto.

«Non me lo ricordo, giuro. Era una frase che partiva da un dettaglio molto concreto e prendeva il volo. Un concetto profondo ma lieve, che ti è uscito spontaneo, di cui non ti sei accorta. Ha risvegliato il mio interesse. Ho pensato che era una cosa che non mi aspettavo da una cassiera».

«Forse sei prevenuto contro le cassiere».

«È possibile», ha detto lui ridendo.

«Insomma stai dicendo che non sono state le tette?» ho scherzato mettendo le mani a coppa sotto la mia seconda scarsa, per farla traboccare dalla scollatura.

Lui ha fatto una smorfia allegra, che gli viene fuori solo quando è di ottimo umore, e che adoro. Quando ride con me lo prendo come un omaggio.

«No. Le tette non sono il tuo forte», ha risposto. Che forse non era una cosa carina da dire, ma è stata anche una di quelle rare occasioni in cui mi ha abbracciata stretta, come se volesse farmi capire che per lui non era importante.

«Però con le tette sono buone tutte, – ha continuato. – È la bassa manovalanza della seduzione. Invece creare un link tra un pensiero poetico e un'erezione, quella sí che è roba da professioniste».

Credo di avere ceduto alla trasparenza del suo comportamento. Al fatto che non mi ha nascosto nulla. Mi ha detto subito che era sposato, non ha mai raccontato di volerla lasciare, non ha parlato male di lei, non mi ha estorto qualcosa in cambio della promessa di fare qualcos'altro. Ho pensato che fosse il segno di un cuore che valeva la pena avvicinare.

Lo penso anche ora, non ho cambiato idea. Solo che adesso lo conosco meglio, e devo fare i conti con una tendenza alla fuga che non si accorcia mai e che mi taglia il respiro.

Una volta gli ho chiesto: «Se quello che hai ti sta bene, perché sei qui con me?»

Eravamo seduti sul letto, lui armeggiava con la mia sveglia che si era bloccata il giorno prima. Ha le mani d'oro e gli avevo chiesto di aggiustarmela.

Mi ha detto: «Tu perché sei qui?»

«Rispondere a una domanda con un'altra domanda è una cosa che non si fa».

«Lo so. Prometto che poi rispondo. Intanto fallo tu».

Ci ho pensato su. «Perché mi piaci. Perché sto bene quando siamo insieme. Perché mi diverto, non penso alle cose a cui non voglio pensare, è bello, non lo so. Non mi viene niente di piú strutturato».

«Ecco, per me è uguale, e anche piú che sufficiente. Non mi serve qualcosa di piú strutturato». Poi ha fatto un sospiro soddisfatto e ha aggiunto: «La sveglia è a posto. Adesso dovrebbe funzionare, prova a vedere».

Io l'ho presa, l'ho caricata perché suonasse entro un minuto, e ho cominciato a rigirarla tra le mani a occhi bassi.

«Grazie, – ho detto sottovoce un po' delusa. – L'avresti detto in ogni caso, vero?»

Ha sorriso ed è rimasto zitto.

Non ho mollato. «Qualsiasi cosa avessi risposto, tu avresti detto: "Ecco, per me è uguale"».

Ha annuito.

«Allora che risposta è?»

«L'unica che ha senso, secondo me».

«A me sembra un trucco».

«I trucchi servono a quelli che vivono tutta la vita qua dentro, – e mi ha battuto delicatamente le nocche sulla fronte, – quelli come te. Che hanno bisogno di un motivo per essere felici, che non si godono niente se non hanno risposte, se non sanno il perché».

La sveglia ha suonato. Lui l'ha ripresa dalle mie mani e ha bloccato la suoneria. Poi me l'ha messa davanti agli occhi: «Vedi questa? Finché ha funzionato non ti sei fatta domande. Quando si è rotta hai cercato di capire, hai letto il manuale di istruzioni, mi hai chiesto di aggiustarla. Hai cercato una spiegazione. Se le cose funzionano, le spiegazioni non servono».

Resto distesa qualche minuto, poi mi alzo controvoglia. Stamattina devo andare in studio, ma è ancora presto. Magari ne approfitto per una doccia rilassante senza che qualcuno bussi alla porta del bagno per mettermi fretta.

Rimango a lungo sotto il getto dell'acqua, decisa a godermi la sensazione fisica di benessere al netto della tristezza per l'abbandono precipitoso di Maurizio. Mi costa uno sforzo, perché cedere alla tristezza è più facile, se non altro per abitudine.

Però mi impunto e ci riesco. Oggi voglio essere solo il mio corpo, deciso a godere dei benefici di una serata magnifica. La mente dice che dovrei essere triste, che ho già pagato la felicità di ieri con l'abbandono di oggi, e quindi non c'è niente da sorridere. Faccia pure, se crede. Io mi dissocio e scelgo l'allegria. Maurizio sarebbe fiero di me.

Sorrido all'idea di raccontargli della mia piccola vittoria alla prima occasione. Poi mi ricordo che non ci vedremo chissà fino a quando, e che in una storia come questa non esiste il tempo della condivisione di un pensiero effimero. Fra venti giorni o un mese avrà perso di senso e non ci sarà modo di recuperarlo. La vita sarà andata avanti, di questo grumo emotivo che si scioglie sotto l'acqua non rimarrà traccia.

Oscillo di nuovo verso la tristezza, e lo sforzo per invertire la rotta stavolta è più duro. In qualche modo risalgo la china.

Rientro in camera mezz'ora dopo, mi vesto con un minimo di cura, assaporando il gusto di fare le cose con len-

tezza. Svuoto e ripulisco lo zaino, ci infilo dentro i libri
per la giornata, qualche pacchetto di cracker, due manda-
rini. Alla fine accendo il cellulare.

L'ultima cosa che mi aspettavo è un messaggio di Maurizio. Deve avermelo mandato appena uscito da qui. Una
cosa che non fa mai, figurarsi in una giornata di emergen-
za come oggi.

«Sono stato da dio, – dice. – Non so cos'avevi ieri sera.
Ma per favore resta cosí».

Entrando in studio stamattina mi sono resa conto che
oggi fanno due mesi esatti dal giorno in cui ho cominciato a lavorare qui. Ho spalancato la porta e sono andata ad
alzare le serrande e aprire le finestre per cambiare aria,
come faccio sempre appena arrivata.

Poi sono andata in bagno a cambiarmi. Da qualche tempo
lo faccio con piú attenzione, sta diventando un'abitudine
divertente. Ho comprato anche una matita per il contorno occhi, che non rientrava tra le prescrizioni obbligato-
rie del trucco che la Callegari mi aveva dato. In un primo
momento in profumeria avevo preso in mano un eye-liner,
ma la commessa con molto tatto mi ha spiegato che per
quello ci vuole mano ferma e una certa pratica, e se una
non ce l'ha, è meglio ripiegare su una matita con un tratto piú sfumato. Ormai non mi strucco piú il viso quando
finisco, spesso nemmeno mi cambio, e il giorno dopo esco
di casa già pronta e truccata. Capita che ci vada in giro a
fare la spesa, e non mi sembra cosí strano.

Oggi sono sola, potrei vestirmi alla mia scrivania, ma c'è
sempre il rischio che Lepore o la Callegari entrino improv-
visamente, perché nessuno dei due ha abitudini fisse. È
impossibile dire quando arriveranno o andranno via. Certe volte sono già qui al mio arrivo, e rimangono dopo che

me ne sono andata, magari anche per tre o quattro giorni di seguito. Altre volte non li vedo per una settimana.

Per prima cosa scorro velocemente la posta che ho raccolto dal portiere, e la smisto in pile ordinate secondo l'uso che devo farne. Poi controllo gli incarichi da sbrigare. Sulla scrivania, oppure nella casella di posta elettronica dello studio, trovo tutte le indicazioni che mi servono. La Callegari è una macchina da guerra. Di sicuro non è simpatica, ma è impossibile equivocare quello che dice. So cosa devo fare e come, sia per lei che per Lepore, ho la lista degli impegni, delle consegne, e dei documenti da battere al computer e lasciare per la firma all'avvocato. E una volta finito mi rimane quasi sempre anche il tempo per studiare. Come succede spesso quando si metabolizza un'abitudine, mi sembra di lavorare in questo posto da anni.

Non appena apro il libro di Fisiologia, chiama mia madre. Non le rispondo mai quando sono qui. Non lo facevo nemmeno al supermercato. Ma oggi sono sola, e non ci sentiamo da quattro o cinque giorni almeno. Deve essere furiosa.

Cerco di recuperare la sensazione di benessere del mio corpo appagato sotto la doccia.

– Ciao mamma. Non ho richiamato. Lo so, lo so. Ho avuto molto da fare. Scusa.

Devo essere al di là di ogni possibile forma di indulgenza, perché tace. Sento l'onda del suo respiro, una maniaca che ansima nella cornetta e soffia sul fuoco del mio senso di colpa.

– Mamma?

– Dieci giorni.

Impossibile. Mai fatta prima una cosa del genere. Non riesco a crederci.

– Stai scherzando. Non può essere cosí tanto.

– Dieci giorni, – ripete lei, – ho dovuto chiedere a Rocco di venire a cercarti. È partito ora da Vicenza, lo capisci? E il passo successivo sarebbe stato la polizia.

– Mi dispiace, è che ho molto da fare, le giornate corrono via e non me ne accorgo. Sto seguendo quattro materie e un seminario, e lavoro tutti i giorni.

– Lascia stare, – taglia corto, – hai sempre un buon motivo. Io non rientro tra i tuoi impegni. Non ho diritti, mai. La preoccupazione mi invecchia di vent'anni, me lo dicono tutti, ma questo non conta.

Va bene, mi devo rassegnare, l'ho fatta troppo grossa. Devo lasciare che sfoghi la sua rabbia e che mi affetti a strisce sottili.

Invece con mia sorpresa non esplode, riprende quasi subito il controllo. Ma questo non mi tranquillizza. Vuol dire solo che ha già in mente qualche forma di risarcimento morale.

– Rocco è stato molto disponibile. Si è preoccupato anche lui. E ormai ha preso il pomeriggio libero. Ora lo chiami, lo ringrazi, e lo inviti a pranzo, ché tanto è già partito.

– Come, a pranzo? Ma perché? Se lo chiamo subito forse riesco a fermarlo. Non avrà fatto tanta strada a quest'ora. Sono solo le dodici! E comunque oggi pomeriggio ho lezione.

– Nemmeno per scherzo. Ti ho già detto che la giornata ormai l'ha presa, e in qualche modo bisogna ringraziarlo.

– Ma un pranzo? Non basta che gli offra un aperitivo? Dispiacerà anche a lui tornare tardi. E poi sono in ufficio, prima delle tre non mi libero. Ho difficoltà a chiamare da qui, – aggiungo abbassando la voce come se qualcuno mi stesse ascoltando, – sono al lavoro, mamma, ti prego.

La sua voce riprende a tremare, non so se per rabbia o per disperazione.

– Neanche questo posso chiederti? Dopo dieci giorni di silenzio?

Continuo a pensare che sia impossibile. Non può essere passato tutto questo tempo. Mi sfiora il sospetto che stia mentendo, e che abbia inventato una storia per farmi uscire con Rocco. Non sarebbe la prima volta che ci prova, solo che fino a oggi non aveva mai avuto il coltello dalla parte del manico.

Rocco lavora in via temporanea a Vicenza, per gestire la migrazione di una parte degli impianti della sua ditta, ma la sede principale rimane a Caserta. Fra un anno circa tornerà a casa. A mia madre sembra il modo ideale per riportarmi indietro definitivamente. Piú la scadenza del suo incarico si avvicina, piú lei diventa insistente.

Sento pulsare una vena sulla tempia.

– Non l'hai fatto apposta, vero? – mi sfugge.

Lei ricomincia a inspirare come un toro.

– Che significa?

– Lo sai, – mormoro io, spaventata dal mio coraggio.

– Tu sparisci nel nulla per giorni, io non riesco a pensare a nient'altro che mandarti a cercare dall'unica persona che conosco e di cui mi fido, e tu credi che stia tentando di combinare qualcosa fra voi due?

Ecco, lo sapevo. L'ha detto lei.

Penso a Rocco, ai baci che veniva a prendersi da me a tredici anni come fossi un distributore gratuito, alla lingua rasposa che mi infilava tra i denti, all'alito che sapeva di fumo. L'avevo anche detto a mia madre, all'epoca. Ha un tale orrore per il sesso che pensavo sarebbe andata a cercarlo per mollargli un paio di sberle.

«Sei troppo piccola, – mi aveva risposto invece. – Non capisci niente. Sciacquati la bocca e non parlare di cose che non conosci».

Ci ho riprovato piú tardi, verso i sedici anni. Ormai non ero piú cosí piccola. Sono tornata da lei per chiederle aiuto, visto che Rocco insisteva ad allungare le mani, arrogante come un guappo.

A quel punto le sue argomentazioni sono diventate ancora piú fumose e io non capivo. Non faceva che mettermi in guardia contro il sesso. Le sue brutture, la trivialità, l'abissale distanza che lo separa dall'amore, il fatto che fosse il mezzo piú veloce per squalificare una donna, trasformandola da sposa promessa a puttana senza passare per il matrimonio. «Tutti i vantaggi se li prendono loro, – diceva, – e tutto il pregiudizio rimane a noi. È cosí che il mondo si divide dopo che ti sei buttata via».

Se provavo a spiegarle quello che Rocco faceva senza mostrarmi alcun rispetto, la musica cambiava. La vedevo sulle spine, diventava ritrosa, s'imbarcava in mille distinguo.

«Tu fai in modo di non restare sola con lui, tieniti vicino qualche amica e vedrai che non succede niente».

Però quando le davo ascolto e cercavo di non allontanarmi dalle mie compagne di scuola, si arrabbiava lo stesso.

«Ma cosa fai sempre insieme a quelle? Non lo vedi come vanno in giro conciate?»

«Me l'hai detto tu! Lo faccio quando so che c'è Rocco in giro».

«Allora è colpa tua se poi ti mette le mani addosso! Siete voi che fate le stupide».

«Si può sapere che devo fare allora?»

«Devi rimanere al posto tuo, come t'ho insegnato. Rispettosa e educata. E non stare sempre a rispondere».

«Se rimango da sola e non mi difendo me lo ritrovo addosso. Che cosa vuoi, che lo lasci fare?»

«Certo che no! Ma se tu non gli dài fastidio vedrai che lui non ti tocca».

«E se mi tocca?»

«Mi tiri fuori gli schiaffi dalle mani! Ti ho detto che non ti tocca!»

Insomma un passo indietro e uno avanti, lavate di capo che sembravano tarantelle e che non capivo dove andassero a parare.

Ha continuato su un doppio registro finché ho smesso di parlargliene, tanto era inutile. Poi alla fine ho capito.

Rocco era un papabile. Questo lo esonerava dall'obbligo di rispettare la morale comune. Ciò che mia madre cercava di dirmi in via ufficiosa è che il sesso colpevole è solo quello senza contropartita, che ha come unica motivazione il piacere. Fare sesso con una finalità lecita invece può andare. Dopo il matrimonio, la finalità lecita è fare figli. Prima del matrimonio non si dovrebbe, ma si può derogare, a patto che il sesso sia centellinato con astuzia allo scopo di incastrare uno che, se venisse lasciato scappare, cesserebbe di essere disponibile al matrimonio e quindi a fare figli.

È a questo tipo di precetti tribali che mia madre si riferisce quando dice di sé che lei è una donna moderna. Lo dicono anche le sorelle e le amiche, con toccante rispetto: «Eh, Tina. Lei sí che è una donna moderna». Intuiscono lo strazio che le costa una simile ampiezza di vedute, obbligata com'è dal fatto di essere una vedova senza mezzi e con una figlia da piazzare.

Quando ne parlano insieme, nel salotto di casa mia, si stringono intorno a lei con affetto. E si caricano sulla faccia certe espressioni lugubri che pare di vedere i discepoli di Socrate vegliare intorno al letto dopo che il maestro ha bevuto la cicuta.

La Callegari arriva verso le undici.

Le faccio il resoconto della settimana perché di recente non ci siamo incrociate quasi mai.

– Qui ci sono i moduli d'imposta che ho pagato online, se vuole controllare che sia tutto in regola prima di archiviarli, – glieli porgo. – E ho stampato gli atti che l'avvocato mi ha lasciato.

Li prende e li legge con attenzione, scorrendo le righe con il dito, in particolare gli atti. Vuole sempre verificare tutto prima che li restituisca all'avvocato per la firma.

– Va bene. Puoi portarglieli, è di là.

– Come? Non credo. Sono arrivata molto presto stamattina, non mi pare che fosse già qui. Non l'ho mai sentito, nemmeno per il caffè.

Mi guarda con fastidio. – Ti dico che è di là. Mi ha chiamato al telefono mentre parcheggiavo qui sotto.

Provo disagio all'idea che Lepore sia stato qui stamattina senza che me ne rendessi conto. Fortuna che mi sono cambiata in bagno.

– I preventivi per la tinteggiatura? – mi chiede.

Ha convinto Lepore a far ridipingere lo studio durante la chiusura estiva. Ne ho raccolti quattro, glieli mostro.

– Ci hai parlato? Gli hai detto che è essenziale che il lavoro venga svolto dall'8 al 21 agosto?

Annuisco. – Nessuno ha fatto storie.

Mi ascolta mentre le elenco i pro e i contro di ogni ditta. Occupo un'area estremamente periferica della sua attenzione. Sto comunque molto attenta a quello che dico, so che poi ricorda tutto.

Alla fine fa una cosa che può passare per un sorriso, e si toglie gli occhiali. Da qualche giorno mi sono accorta che li porta per bellezza. O meglio, per serietà. Le lenti sono neutre.

Li ha dimenticati qui l'altra sera, e allora li ho provati. Io ci vedo bene. Se le lenti avessero avuto una correzione anche minima me ne sarei accorta. Mi ha fatto tenerezza.

Tutti quei tacchi, quel trucco, perfino gli occhiali. Deve essere una bella fatica alzarsi la mattina e mascherarsi per diventare Renata Callegari.

– Non male, – mi dice, – prima che l'avvocato ti mandi via devi spiegarmi come hai fatto a correggere quell'imperfezione di stampa –. Solleva un foglio e lo guarda in trasparenza, dal basso verso l'alto, poi lo rimette in cima alla pila. – La sbavatura di inchiostro che lasciava sempre sul retro. È un difetto che la macchina ha avuto fin dall'inizio, ma ora è sparito.

Sgrano gli occhi. Lei allora solleva un sopracciglio e corregge il tiro.

– Sta' tranquilla. Non voglio dire che ci stia pensando. Il ricambio delle segretarie qui è sempre stato piuttosto sostenuto. Ma non mi risultano particolari casini da parte tua. Quindi probabilmente tu durerai di piú.

Magari sta cercando di essere carina. O almeno non del tutto sgradevole, che forse per una come lei è già qualcosa. In fondo è una prigioniera di guerra, legata a questo studio molto piú di quanto non sia io.

Il campanello suona. La Callegari mi lascia andare ad aprire.

Alla porta c'è un uomo alto con un impermeabile grigio e gli occhiali da sole. Se li toglie per parlare con me.

– Buongiorno. Ho un appuntamento, – dice, e butta uno sguardo oltre le mie spalle, come per controllare l'ambiente.

Mi faccio da parte. Lui entra e si dirige senza esitazioni verso la sala d'attesa. Si vede che conosce lo studio.

Lo seguo e aspetto che si accomodi.

– Il suo nome? – chiedo.

– Feliziani, – mi risponde. – A mezzogiorno, per Lepore.

Riconosco il nome, è in agenda. E ha detto «Lepore» come se avesse una certa familiarità. Fino a oggi l'ho sempre sentito chiamare da tutti «l'avvocato».

Torno alla scrivania e Lepore mi compare davanti in quel momento. Faccio un piccolo sobbalzo.

– Mi scusi, non l'ho sentita avvicinarsi.

Lepore ha questa abitudine. Si materializza.

Non dice niente e si avvia verso la sala d'attesa. Va incontro all'uomo che è appena entrato, una cosa che non gli avevo mai visto fare prima.

Il suo studio è in fondo al corridoio. Può passare davanti alla mia scrivania, che è all'ingresso, e chiudersi dentro senza che i clienti in attesa sappiano che è arrivato. Ho l'ordine tassativo di tenere chiusa la porta della sala d'aspetto e conservare sempre il riserbo sulla sua presenza. Quando decide che è opportuno mi avvisa sulla linea interna, e solo allora li porto da lui.

Invece stavolta va ad accogliere il cliente di persona. Deve essere qualcuno a cui tiene in maniera particolare, infatti si salutano con calore. Lepore lo invita a seguirlo, ma si attardano a chiacchierare nel corridoio. Mentre sono ancora lí la Callegari esce dalla sua stanza con un faldone in mano.

Alza la testa, murata come sempre dietro la sua espressione impenetrabile, vede Feliziani e si ferma.

La scena attira la mia attenzione. Non so perché, visto che non succede niente di particolare. L'uomo, che sta ascoltando Lepore, si gira sentendo aprire la porta, ma appena incrocia lo sguardo della Callegari si volta dal lato opposto con un'espressione impassibile.

Nemmeno la Callegari saluta, e lo supera come se non lo vedesse. Continua a camminare verso di me, mi passa accanto, lascia scivolare il faldone con un tonfo sulla mia scrivania, e si infila in bagno.

Gli altri due spariscono nello studio di Lepore. Dopo una ventina di minuti il cliente esce, mi saluta e se ne va.

Subito dopo Lepore mi chiama al telefono: – Mi avvisi se vede Renata andare via, – dice, – devo parlarle.

È strano che passi attraverso di me. Potrebbe chiamarla direttamente, ma qui dentro ci sono diverse liturgie che non afferro bene, e non mi faccio troppe domande.

Poco dopo la vedo uscire dal suo ufficio mentre indossa la giacca, e chiamo Lepore.

– L'avvocato vuole vederla prima che vada, – le dico sottovoce con la mano sulla cornetta.

– Devo andare da lui?

Mi guarda perplessa. Forse me lo sogno, ma ha un'espressione spaventata.

– Non credo. Non ha detto questo.

Infatti è Lepore che esce dal suo studio e ci raggiunge.

– Il decreto ingiuntivo per Feliziani, – dice mettendole in mano una cartella, – riordini le fatture e verifichi la sede legale della società. Non voglio rischiare all'ultimo momento un'opposizione per l'incompetenza territoriale del giudice.

La Callegari tiene la testa bassa e annuisce, un atteggiamento di mansuetudine che proprio non è da lei.

– Controlli anche la certificazione notarile di conformità contabile, non sarebbe la prima volta che Feliziani se ne dimentica.

– No, infatti, – conferma lei.

– Mi serve per giovedí.

La Callegari molla la sua borsa su una mensola. Sembra che non riesca piú a tenere tutto in mano.

– Giovedí, – ripete a bassa voce. – Vuole che vada da loro, in sede? – gli chiede.

– Se si fida ed è sicura che non dimentichino niente, può farsi spedire la documentazione tramite corriere. Veda lei.

La Callegari annuisce senza aggiungere altro, riprende la borsa e si avvia verso l'uscita. Fuori sta piovendo a stravento da almeno mezz'ora. Si sentono le gocce picchiare contro i vetri come proiettili, ma lei non raccoglie l'ombrello dal vaso accanto all'entrata.

– Avvocato –. Le vado dietro.

Si gira. La faccia è quella di una che è qui ma non è qui. Non l'ho mai vista in queste condizioni.

– È meglio che prenda un ombrello, – le dico.

Anche Lepore parla: – Giusto, l'ombrello. Non è il momento di ammalarsi.

La Callegari inspira e allarga le spalle, recupera la sua espressione agguerrita, afferra l'ombrello che le porgo ed esce.

Non so perché, ma da quello scatto d'orgoglio capisco. Chi è Feliziani. Perché le fa quest'effetto. E per quale motivo Lepore le ha parlato di fronte a me invece di passarle direttamente le consegne al telefono.

Voleva che assistessi al teatrino.

– Fa passi da gigante, – dice Lepore sarcastico appena la porta si richiude dietro la Callegari.

Fingo che si tratti di un'osservazione banale e torno a trafficare alla mia scrivania. Lui si avvicina, resta in piedi all'altro capo. Sembra divertito dal mio tentativo di mascherare il disagio, e lascia che continui fino a quando non realizzo che mi sto rendendo ridicola. Allora mi fermo e aspetto. Tanto lo so che andrà fino in fondo.

– Non è stata sempre cosí veloce a riprendersi, Renata. C'è stato un tempo in cui restava catatonica per ore. Ma ormai lo spazio di recupero è quasi impercettibile. Lei ha capito ugualmente, vero? – dice portandosi la pipa alla bocca. – Perché conosce la storia. Basta solo un piccolo sforzo di immaginazione per mettere insieme i pezzi.

Non voglio dargliela vinta. – Quale storia?

– La consueta risposta diplomatica, – dice, – anche stavolta vuole rimanerne fuori.

Sono decisa a tenere duro e a non dargli nessuna soddisfazione. La puerilità dei suoi giochetti mi imbarazza. Non può costringermi a parlare con lui se non voglio, o se non rispondo.

Però all'improvviso mi fulmina un sospetto, e la domanda mi scivola fuori senza che riesca a fermarla: – Li ha fatti conoscere lei? – domando incredula. – Cioè, ha chiesto al suo cliente di esasperare Renata, di portarla a fare quello che ha fatto?

Mi guarda appagato.

– Mi sta chiedendo se ho manipolato un uomo adulto, un industriale piuttosto promettente, perché proponesse a Renata di sposarlo, e poi la abbandonasse prima del matrimonio, per il gusto di vederla impazzire? – Scandisce le parole facendo la caricatura di un'ipotesi verosimile. – E perché avrebbe dovuto farlo, esponendosi a mesi e mesi di persecuzioni e al rischio di mettersi in guai seri con la polizia tributaria? Cosa aveva da guadagnare?

Non lo so.

– Forse tendo a essere macchinoso, lo ammetto, – prosegue, – ma non sono onnipotente –. Fa scattare l'accendino e lo appoggia al fornello della pipa, aspirando. – E in ogni caso non userei mai un trucco cosí volgare. Non sono un burattinaio. Non le è mai capitato di far conoscere due persone che pensava potessero piacersi? E trova che sia cosí riprovevole? Non ho sollecitato nulla, ho solo facilitato un incontro. La partita rimane sempre nelle mani dei giocatori, io resto fuori. Tutto quello che faccio è limitarmi a osservare, e ricavarne conferme o smentite. Smentite quasi mai, per la verità.

Spero solo che non ricominci.

Per un po' non si muove. Sembra assorto. Poi punta la pipa nella mia direzione, come per sottolineare qualcosa che gli è appena venuto in mente.

– Ma non mi sono ancora ritirato dal mondo. Questo dimostra se non altro che ho voglia di essere sorpreso, no?

Se ne va. Lo osservo. Il suo corpo pare leggermente rattrappito. Le spalle si incurvano in una flessione che non avevo mai notato prima. Cammina senza fretta, come se sapesse che lo sto fissando e volesse smentire con un atto della volontà la debolezza che intercetto nella sua andatura.

– Ho bisogno di un caffè, – mi dice prima di entrare nella sua stanza, – se possibile, che sia in grado di attenuare gli effetti di una pessima giornata.

– Faccio del mio meglio, – rispondo, quasi euforica perché stavolta mi sembra di cavarmela con poco.

– Questa è la dichiarazione d'intento di tutti i mediocri, – ribatte. – Una volta tanto si sbilanci, Rosita, e mi sorprenda. Siete sempre cosí prevedibili.

15 luglio 1959.

Poco dopo le nove di sera la corriera arriva al capolinea e Ludovico e Guido scendono a Volterra. Guido è sereno, e pare piú allegro del solito.

Ludovico lo sa con certezza perché passa la notte a guardarlo senza chiudere occhio. Lo sente girarsi appena un paio di volte, poi respirare pesantemente un minuto dopo essersi coricato sul letto accanto al suo, e infine crollare in un sonno di pietra, mentre lui, seduto con la schiena contro la spalliera del letto, continua a fumare per ore. Per accorciare l'agonia si alza prestissimo, prima delle sei, buttandosi alle spalle le lenzuola che sono un groviglio di sudore.

Ha dovuto lottare tutta la notte contro la tentazione di saltare sul primo mezzo pubblico e scappare, e ha resistito solo perché è certo che in una cittadina come quella, al buio, non ci sia alcuna opportunità per andarsene se non allontanarsi a piedi, che è una prospettiva melodrammatica e ridicola.

Al mattino lascia che Guido dorma fino a tardi, non lo sveglia. Ma appena possibile ha intenzione di dirgli che ha deciso di ripartire subito, e da solo.

Quando Guido si decide a scendere è cosí imperturbabile che Ludovico all'improvviso non sa piú cosa fare.

Guido continua a comportarsi come se non fosse successo nulla. Se Ludovico gli annunciasse la sua decisione, dovrebbe spiegare il perché, e a quel punto spetterebbe a lui l'obbligo di riparlare dell'accaduto. Questo gli pare inaccettabile, e profondamente ingiusto.

Guido esce dall'albergo e si avvia lungo la strada respirando a pieni polmoni, come se il mondo fosse suo. Ludovico lo segue smarrito.

– Dove vai? – gli chiede accelerando il passo per raggiungerlo.

– Non hai fame? Voglio mangiare, andiamo.

Percorrono i vicoli del paese alla ricerca di un bar per mettere qualcosa sotto i denti. L'atmosfera è cosí surreale che Ludovico comincia a immaginare di avere sognato. Due ore dopo ne è quasi certo. Quando Guido gli sfiora il braccio camminandogli accanto si irrigidisce appena. Ma l'amico è talmente pacificato che Ludovico riprende fiato.

Nel pomeriggio entrano nella bottega di un antiquario. L'interno è scarsamente illuminato, umido, con un leggero sentore di muffa e di legno.

Si dividono, ognuno attratto dalle proprie curiosità. Ludovico si avvicina a una consolle dove è disposto un gruppo di figurine femminili scolpite in alabastro. Ne prende in mano una che rappresenta una donna inginocchiata e seminuda che solleva un braccio dietro la testa esaltando la forma del seno. La mette in controluce sotto una lampada. L'alabastro è bianco, opalescente, attraversato da sottili venature grigie, vellutato al tatto.

– Ti piace? – gli chiede Guido che compare alle sue spalle. Ludovico pensa si riferisca alla statuina, ma l'altro indica invece una credenza in noce. Rimette al suo posto l'oggetto che ha in mano e si avvicinano insieme.

Sullo scaffale piú alto della credenza c'è una scultura in bronzo di medie dimensioni, isolata, come se non ammettesse compagnia. È sottilissima, alta all'incirca sessanta centimetri. Rappresenta una figura efebica maschile con arti e busto allungati in modo innaturale, ritta e immobile, le braccia abbandonate lungo i fianchi.

Le uniche parti del corpo che rispettano le corrette proporzioni sono le estremità: le mani, i piedi, il volto, che è quello di un adolescente scarnificato dal tempo, tumefatto, i tratti camusi, specie se visto di fronte. Di profilo invece sembra piú naturale, e anche molto piú giovane, quasi un bambino, con il naso minuto e una ciocca di capelli che si raccoglie a punta sulla guancia.

L'antiquario si avvicina alle loro spalle e non dice nulla. Lascia che si facciano attirare dalla malia dell'efebo. Poi accenna a voce bassa: – L'*Ombra della sera*.

Ludovico e Guido non dànno segno di avere sentito.

– È cosí che si chiama, – aggiunge l'uomo.

«Il nome perfetto per questa figura stilizzata», pensa Ludovico.

– Non è il vero nome. Quello non lo conosce nessuno. Fu un'idea di D'Annunzio chiamarlo cosí. L'originale è etrusco, e si conserva qui, al Museo Guarnacci. I signori l'hanno visitato?

I due scuotono la testa per dire che no, non hanno visto musei di recente, né lí né altrove. Il loro non è un viaggio di cultura. Hanno cose piú importanti da capire.

L'antiquario si sposta e li affianca. È piccolo e scuro, fa pensare a un sensale di matrimoni.

Afferra la statua e la rovescia per mostrare il numero di serie.

– È una copia autorizzata dell'originale, da un calco in cera, realizzata con un procedimento unico e in un nume-

ro limitato di esemplari. Ha il suo certificato, – dice. E la
porge a Guido per invitarlo a verificare.

Guido la afferra e la fa ruotare tra le mani.

– Allora, ti piace? – insiste. Ludovico non sa cosa pensare.

L'efebo ha il suo fascino siderale, ma anche una carica maligna che lo disorienta. Non c'è nulla che sia piú distante da lui della superstizione, eppure è quasi certo che
quell'oggetto porterà sfortuna a tutti e due.

Finge che non gli importi, sapendo che nascondere
qualcosa a Guido è quasi impossibile. Conosce la sua vena provocatoria.

Guido se ne accorge, infatti, e dichiara entusiasta: – La
prendo.

La porge sorridendo all'antiquario, che si affretta a portarla via per imballarla.

– Se ti dispiace tanto la terrò io. Mi sembrava un bel
ricordo del viaggio. È evocativo, in qualche modo.

– Evocativo di cosa? – chiede Ludovico, preoccupato.

– Del lato visibile delle cose, e di quello nascosto. Mi
piace l'idea che getti un'ombra lunga. Un'ombra spropor-
zionata. Come se ciò che nasconde fosse molto piú vasto
di quello che mostra.

Ludovico si sente di nuovo in difficoltà, stavolta non
deve farsi prendere di sorpresa, tanto piú che sono di nuovo soli.

– Se lo dici tu, – conclude. E si gira in fretta verso l'uscita.

Il resto del viaggio procede senza intoppi e senza allu-
sioni. Rimangono fuori qualche giorno, poi si avviano di
nuovo verso casa. In corriera, e poi piú tardi in treno, la
statua riposa in mezzo a loro avvolta nell'imballaggio, troppo grande per entrare nelle sacche da viaggio.

Nascosta e invisibile li separa già, in modo impercettibile, impedendo che le braccia si sfiorino quando la corriera prende una buca e sobbalza. Avvolta nella carta da pacchi, a Ludovico sembra ancora piú maligna e pericolosa.

Al rientro Guido mantiene la parola e la prende con sé.

Si separano un giorno appena, il tempo di farsi rivedere in famiglia. Hanno già preso accordi per partire di lí a ventiquattro ore per una vera vacanza. Che sarà l'ultima prima dell'università.

8.

Stamattina comincio con un paio di negozi in centro. Consegno e ricevo incartamenti, mi faccio firmare ricevute, deposito pratiche invitando i clienti a leggere e firmare. Poi rientrerò in ufficio per archiviare tutto.

Finito con i negozi, taglio per le Riviere e passo sotto porta Altinate reprimendo il desiderio di un gelato. Adesso che guadagno qualche soldo in piú, ogni tanto mi concedo un minuscolo lusso e me lo godo come un premio. Ma ho troppa roba in mano. Non voglio correre il rischio di macchiare nulla, e neppure di dimenticare qualche pacco in giro, visto che mi è già capitato.

Al secondo piano di uno stabile signorile di via Santa Lucia suono al campanello di un centro estetico. Mi apre un tizio massiccio in camice bianco, è la persona che stavo cercando. Lo so perché ha il nome ricamato sull'etichetta appena sopra il risvolto del taschino. Devo fargli firmare un pacco di carte alto cinque centimetri, e so già che ne avremo per mezz'ora. Non mi sembra molto lucido, e senza fargli fretta gli indico il primo foglio della pila.

Lui si mette a scrivere d'impegno, la cosa gli viene difficile. Tiene stretta la penna con le dita contratte. Ha bicipiti cosí grossi che non riesce a tenere il braccio abbastanza vicino al busto per scrivere decentemente. Uno dopo l'altro tira via dei ghirigori che potrebbero essere qualsiasi cosa. Mi domando quale valore legale possa avere una firma cosí, ma non posso obbligarlo a fare di meglio. Se la Callegari mi dirà che non va bene, mi toccherà tornare. Non sembra cattivo, e nemmeno il tipo che potrebbe innervosirsi per una richiesta simile. Però non si può mai sapere.

La cosa va per le lunghe, mi guardo intorno.

Da una porta accostata si intravede una sala foderata di pannelli in legno che arrivano fino al soffitto. Al centro sono allineate diverse capsule, grandi abbastanza da contenere un corpo umano. Due sono occupate da donne distese in orizzontale. Se i piedi fuoriuscissero dal capo opposto sembrerebbero pronte per essere tagliate in due da un prestigiatore. Ma i piedi sono dentro, come tutto il resto, eccetto la testa. Entrambe guardano il soffitto senza parlare tra loro. Una è giovanissima, l'altra avrà forse cinquant'anni.

I volti hanno un aspetto che ricorda i santini dei protomartiri da portafoglio: mansueti e immobili, lo sguardo rassegnato e rivolto verso l'alto. All'interno delle capsule qualche meccanismo arranca, si agita, sbuffa ed emette una leggera cortina di umidità. L'aria è satura di un'essenza dolciastra, fa pensare al sandalo.

Torno a guardare il culturista in camice bianco che va avanti a firmare, un foglio dopo l'altro. Dietro di lui c'è una bilancia professionale a colonna, grossa e cromata, che si riflette su una grande specchiera a parete.

Il telefono non ha smesso di squillare da quando sono entrata, l'uomo non ci fa caso. Continua a firmare, concentrato, la lingua che spunta tra i denti. Calca cosí forte sul foglio che l'inchiostro passa da parte a parte. In qualche modo riesce ad arrivare fino in fondo. Chiude la cartellina con un sorriso soddisfatto e me la restituisce. Mentre esco lo vedo avviarsi verso la sala sul retro e urlare sopra il rumore a stantuffo delle macchine: – Allora, ragazze, come andiamo?

Quando mi libero è già trascorsa buona parte della mattinata. Controllo l'orologio. Forse, se faccio in fretta, riesco a passare dall'officina meccanica prima dell'ora di pranzo. Ho dei documenti da consegnare anche lí.

Ci arrivo in dieci minuti. Entro, ma non vedo quasi niente, troppo buio. Poi comincio a intravedere il profilo delle auto parcheggiate. Ce ne sono un paio con il cofano aperto, e un'altra, piú vicina, di cui distinguo a malapena la sagoma. Un meccanico lavora sdraiato tra le ruote posteriori, sbucano solo le gambe.

A parte l'uomo sotto l'auto non vedo nessun altro, quindi mi avvicino a lui e mi schiarisco la voce sperando che mi noti. È inutile. Non mi sente. Oppure mi ignora.

Provo ad avvicinarmi alle auto con il cofano aperto. Una delle due ha il motore collegato a un computer portatile appoggiato a un tavolino di metallo. Sul monitor scorrono grafici in sequenza rapidissima. Intorno ci sono due uomini e un ragazzo molto giovane in tuta da lavoro che in un primo momento non avevo notato perché sono appena fuori dal cono di luce che cade dall'alto. Fissano in silenzio il computer, ipnotizzati. Il raggio della lampada li investe come una composizione sacra e si riflette sulle loro espressioni concentrate. Sembra un quadro: adorazione dei pastori con radiatore.

Nessuno di loro dice una parola oppure alza la testa per guardarmi.

Va bene, non posso passare qui tutta la giornata. Prendo fiato:

– Il signor Marcato? – sussurro con la sensazione di interrompere un rito.

Uno dei tre alza la mano. Ma non perché è Marcato. Lo

fa per zittirmi. Prima porta il dito davanti alla bocca e poi lo punta verso la parte posteriore dell'officina.

Guardo nella direzione che mi indica. C'è un ufficio dietro una parete a vetri che però è vuoto. Non importa, immagino sia il posto migliore dove aspettare il titolare, ammesso che non sia uno di quelli che ho visto finora.

Busso e apro la porta chiedendo permesso. Lo faccio solo per abitudine alle buone maniere. La parete è trasparente, so benissimo che dentro non c'è nessuno. Ne approfitto per mollare i documenti sul tavolo e sciogliere le braccia anchilosate. Suppongo che qualcuno dei meccanici avviserà il titolare.

Il buio qui è meno pesto che in officina. Sulla parete di fondo una porta di vetro smerigliato affaccia su un cortile interno e fa passare la luce. Osservo i poster sui muri tanto per fare qualcosa. Suppongo siano pubblicità di lubrificanti o batterie. Poi mi avvicino di piú e realizzo che sono calendari pornografici.

Faccio un passo indietro. Cerco di ignorarli, non è facile, coprono ogni centimetro quadro disponibile. E hanno qualcosa di dissonante. Rialzo gli occhi a fatica e intuisco subito cos'è: il piú recente sarà del 1985, il resto invece risale almeno agli anni Settanta. È cosí cambiato il modo di rappresentare l'erotismo, che in un certo senso sembrano foto da oratorio. Se non fosse per tutto quel pelo che stride con la pornografia che circola oggi, direi che sono immagini che hanno perfino un certo candore.

Quasi non ti accorgi che sono donne nude. Eppure lo sono. Nude, e magari anche a gambe aperte, su un divano in tessuto sintetico leopardato, contro un muro coperto da carta da parati optical. Sorridono senza nessuna carica allusiva, oppure al contrario con arie da panterona caricaturale. L'unica cosa che riescono a evocare è l'immagine di una bambina che gioca a infilare le scarpe col tacco della madre senza riuscire a riempirle.

Alcuni poster sono a fumetti. «Zora la Vampira», c'è scritto sotto il disegno di una donna nuda seduta a cavalcioni di uno zombie adagiato in una tomba. Le enormi braccia viola del mostro strizzano il seno della donna.

Sul tavolino di fronte al divano sono sparse riviste dello stesso tipo. Mi siedo, mi guardo in giro per accertarmi che nessuno mi veda e ne raccolgo un paio. La prima è un «Playboy» del 1974 con una donna che dice: «Quello che non posso farvi vedere in tv». Accanto c'è un nome, io però non so chi sia. È in piedi, fotografata di profilo, indossa solo un lungo boa di struzzo e un panama che tiene fermo sulla testa con la mano. Tutto quello che si vede del suo corpo nudo è un accenno di pelle e a malapena il profilo del culo. Oggi con una cosa cosí non pubblicizzerebbero nemmeno uno sciroppo per la tosse.

Poi c'è un numero di «Playmen». Sembra un reperto. In copertina c'è una donna bionda, avvolta in uno scialle bianco che lascia scoperte solo le spalle. Anche lei deve essere stata famosa perché il nome campeggia come un richiamo accanto alla foto, ma a me non dice nulla. La cosa piú erotica che fa è sporgersi in avanti, ammiccando. Il seno però non si vede. In alto a destra c'è scritto: «Lire 4000».

D'improvviso la porta che dà verso l'officina si apre. Getto la rivista sul tavolino e scatto in piedi, anche se sono quasi certa che sia troppo tardi. Il titolare mi ha vista mentre la sfogliavo.

Cerco di riprendere il controllo recuperando la cartella di documenti che ho appoggiato sulla scrivania.

L'uomo non è uno di quelli che ho già visto lavorare in officina. Sulla sessantina, grosso come un armadio, con i

basettoni e i baffi alti tre dita. La testa è tinta di un nero
scurissimo, e lisciata con il gel. Il colore è fatto cosí male
che una lunga striscia nera spicca sulla fronte all'attaccatura dei capelli. È molto in linea con l'estetica dei calendari sui muri, sembra uscito anche lui dagli anni Settanta.
Porta la tuta da lavoro come gli altri, e si rigira tra le mani uno straccio lurido con cui si toglie il grasso. Non dice
nulla, però mi guarda con insistenza.

Mi presento cercando di non farfugliare, e gli spiego
perché sono lí. Lui fa dei grugniti di approvazione e si
avvicina mentre indietreggio verso il divano. Quando le
mie gambe toccano il tessuto in pelle e non ho piú alcuno
spazio di manovra, metto tra me e lui l'incartamento con
i documenti, piazzandoglielo all'altezza dello stomaco per
tenerlo a distanza.

– Ecco, – dico, – è tutto qui. Nel *folder* rosso trova copia dell'atto depositato che può tenere per il suo archivio.
Nella cartella piú piccola, qui sotto, ci sono solo un paio di
certificati da firmare. È una cosa da un minuto, me ne vado
subito, anche perché immagino che siate in chiusura per la
pausa pranzo, – concludo guardando l'orologio.

Dico sempre a tutti che è una cosa da un minuto, e non
è vero quasi mai. Lo faccio per non innervosire il cliente.
È la prima volta che sono io quella che non vede l'ora di
andarsene.

– Qui non si chiude, – mi risponde lui, – i ragazzi fanno a turno –. Si accarezza i baffi e butta sulla scrivania la
cartella, che atterra con un rumore sordo. – Non mi ricordo di te. L'ultima volta è passata un'altra. Bionda, capelli lunghi, occhi scuri.

Per un istante ho paura che voglia mimare con le mani
la circonferenza delle tette per completare la descrizione.
Gli leggo negli occhi tutto il potenziale di volgarità che

serve per fare un gesto del genere con una perfetta sconosciuta. Invece si trattiene.

– Sí. Era Giovanna, – rispondo fredda. – Che però non
lavora piú per lo studio. La sostituisco io.

Lui mi scruta dalla testa ai piedi come se fossi un pezzo di carne inerte. Dietro il suo sguardo ottuso intuisco
l'avvio di un processo di comparazione fra me e Giovanna, anche perché non fa nessuno sforzo per nasconderlo.
Non so se il risultato lo soddisfi.

Alla fine riprende in mano l'incartamento. Non mi toglie gli occhi di dosso, si inumidisce l'indice sulle labbra,
e comincia a sfogliarlo.

Il gesto mi disgusta. Faccio qualche passo per allontanarmi, con la scusa di lasciarlo leggere prima di firmare. Soltanto allora mi accorgo che fuori dal box ci sono i quattro
meccanici, gli stessi che avevo visto in officina. Guardano
di sottecchi verso di noi facendo finta di essere impegnati in qualche attività. La parete a vetri che ci divide mi
fa sentire un animale in uno zoo. A parte l'età, sembrano
copie carbone l'uno dell'altro. La stessa tuta blu scuro del
titolare, la stessa stazza massiccia, e tre su quattro hanno
anche gli stessi baffi. Solo il ragazzino, il piú giovane, ha
il viso glabro.

Non ho bisogno di sentire quello che dicono. Nemmeno loro si sforzano di fingere. È probabile che non ne
vedano la ragione. C'è una corrente diretta che unisce la
smorfia compiaciuta del titolare e i loro sguardi aggressi-
vi, e punta verso di me. Uno scanner collettivo che mi attraversa misurando culo, tette, gambe, e produce un giudizio mediocre che gli leggo in faccia come tutto il resto.
Per loro valgo quello che mostro, o che mi posso permettere di esporre, quindi pochissimo. In questo caso la mia
modestissima passata di trucco non impressiona nessuno.

Resto comunque troppo piccola, troppo magra, troppo poco appariscente, specie per uomini con un immaginario erotico cosí vintage.

Non so dove girarmi. Se do le spalle a loro devo guardare il titolare. Se faccio il contrario, il problema è lo stesso a parti invertite.

Poi per fortuna l'uomo finisce di firmare, e l'agonia in qualche modo si conclude. Rimetto insieme in fretta i documenti e li caccio nella cartella, senza controllare che siano in ordine. Ci penserò piú tardi in ufficio. Mi riprendo la borsa, sollevo la mano per salutare ed esco dal box a vetri.

Fuori da lí i quattro meccanici continuano a ridacchiare. Nessuno mi si avvicina troppo ma, come se quella fosse una cerimonia di umiliazione abituale messa in atto ogni volta che se ne presenta l'opportunità, mi seguono a distanza mentre mi avvio verso l'uscita. Non posso mettermi a correre, sarebbe imbarazzante e non ne ho nessun reale motivo. Faccio uno sforzo per non accelerare il passo. Quando finalmente esco mi prende un moto di rabbia. Afferro la porta e me la sbatto alle spalle facendo tutto il rumore possibile. Mentre mi allontano li sento ridere di pancia come iene sguaiate, orgogliosi di far parte del loro piccolo clan di molestatori seriali.

Giro la chiave nella toppa dell'ufficio pregando che non ci sia nessuno. Mi resta solo l'energia per lasciare i documenti e andarmene. Fossi stata un po' piú coraggiosa me li sarei portati direttamente a casa, ma ho fatto uno sforzo. Preferisco sistemarli al sicuro e pensare ad altro.

Non riesco a sbrigarmi come vorrei. Nell'officina ho ammucchiato i documenti in disordine per la fretta di andare via, e ora mi servono dieci minuti solo per metterli a posto. Altri dieci li perdo per archiviarli senza errori.

La Callegari è nel suo studio, la sento parlare al telefono in inglese, una cosa che le viene naturale, come quasi tutto quello che fa. Io invece ne so talmente poco che non riesco a capire se sta facendo una chiamata personale oppure di lavoro. Il tono è freddo e asettico, lei però parla sempre cosí.

Se accelero forse riesco a defilarmi senza che si accorga che sono passata e mi scarichi qualcosa da fare. Sono quasi convinta di essere fuori quando Lepore compare di fronte alla mia scrivania. Non l'ho sentito entrare.

Sobbalzo, la mano al petto. Lui non sorride, neppure un accenno.

– Quant'è che è qui?

– Venti minuti, circa.

– No. Intendo da quanto lavora qui.

Rifletto velocemente. – Poco piú di due mesi, all'incirca.

– E allora perché continua a reagire alla mia presenza come se fossi Faust? Chi altro pensa che potrebbe entrare con le chiavi oltre a me, lei o Renata, che è già qui?

– Ha ragione. Ero sovrappensiero. Stavo sistemando delle cose prima di andare via.

Lui mi interrompe con un gesto annoiato della mano.

– Resti ancora un paio d'ore. Le crea qualche difficoltà?

Il primo pensiero è di rifiuto. Ho bisogno di mettere una distanza protettiva fra me e loro. Tutti loro. Poi ricordo che includere qualche straordinario faceva parte degli accordi che avevamo preso dall'inizio, e che fino a oggi Lepore non me l'ha mai chiesto. Non posso dire di no.

Chino la testa.

– No, certo. Nessun problema.

– Ho una coppia di clienti in arrivo. Stanno divorziando. Due belve. Non vedono l'ora di entrare qui e sbranarsi con metodo. Il mio studio li spinge a dare il peggio di sé, e la cosa mi disturba. Ho scoperto che quando ci sono cibo e caffè sul tavolo la situazione migliora. Mentre bevono o mangiano è meno ostico fare qualche progresso. Passi da *Baessato* e prenda qualcosa –. Sfila venti euro dal portafoglio e me li lascia sulla scrivania. – Porti tutto con il caffè. Alle due e mezzo.

– Da *Baessato*, bene. Salato o dolce?

Lui fa una faccia disgustata. – È irrilevante. Io non mangio e non ho preferenze, e loro non si accorgono di cosa mettono in bocca. Scaricano la tensione e basta. Prenda quello che si presenta meglio. Si tratta di distrarli, nient'altro.

Di fronte a me c'è l'agenda degli appuntamenti aperta. La Callegari segna sempre in rosso, in cima alla pagina, i clienti da cui devo andare. Gli appuntamenti di stamattina sono in bella mostra. Lepore la gira verso di sé e legge con calma.

– È stata da Marcato? – chiede.

Annuisco. Di sicuro lui non è mai stato in quell'officina, non riesco a immaginarlo. Tengo gli occhi bassi.

– Un ambiente interessante, no? – mi domanda.

Ecco, mi sbagliavo. Lo sa. Forse interrogava Giovanna, oppure lei si è sfogata con la Callegari, che gliel'ha riferito.

In ogni caso, dal modo in cui cerca di stanare una mia reazione, è evidente che ha un'idea abbastanza precisa di quello che può capitare a una donna in quel posto.

Sguscio via e vado a prendere la giacca. La infilo. Lui mi segue con lo sguardo.

– Va bene, – dice quando sono già sulla porta, – ora non abbiamo tempo. Ne parleremo piú avanti con calma –. E si allontana lungo il corridoio.

Vado di corsa a procurarmi quello che mi ha chiesto e torno. I clienti arrivano e li accompagno subito da lui.

Passano meno di cinque minuti e comincio a sentire una certa confusione provenire dall'ufficio di Lepore.

Sistemo i pasticcini sul vassoio e riempio le tazzine, ma le voci non calano di tono. Distinguo con chiarezza quella di lei, quella del marito, infine una sull'altra. Ogni tanto la nota grave di Lepore che riporta la calma. Qualche secondo di silenzio, poi tutto da capo.

A un certo punto il rumore è cosí forte che la Callegari si affaccia alla porta del suo ufficio in cerca di una spiegazione.

– I Trevisan, – le dico sottovoce. Lei alza gli occhi al cielo e torna dentro.

Aspetto che si facciano le due e mezza e busso discretamente alla porta dello studio.

Devo battere almeno tre volte prima di ricevere un segnale di risposta.

Alla fine Lepore viene ad aprire e rimane in piedi con le dita sulla maniglia mentre entro. Potrebbe passare per un gesto elegante, invece è solo un modo per segnalare che devo togliermi dai piedi in fretta. Faccio piú veloce che posso.

I Trevisan si fronteggiano ai due lati del tavolo in pausa tecnica, guardandosi con un odio cosí cristallino che ne percepisco la sostanza come se qualcuno avesse diffuso uno spray urticante nell'aria.

Respirano in leggero affanno, sembra che abbiano fatto le scale a piedi, e non si dicono nulla.

Appoggio il vassoio al centro del tavolo, non lo guardano nemmeno. Il caffè invece ha piú successo. Tutti e due reagiscono all'aroma con un leggero calo di tensione.

Lepore mi fa un gesto rapido, e io me ne vado portandomi dietro il vassoio vuoto.

Poco dopo la donna esce di fretta, l'orecchio incollato al cellulare. Dieci minuti piú tardi va via anche il marito infilandosi i guanti di pelle con lo sguardo stralunato.

Si accende la spia telefonica della linea interna. Il cuore comincia a battermi piú rapido. Alzo la cornetta.

– La aspetto, – mi dice Lepore, e basta.

Riattacco senza rispondere, mi avvio verso il suo studio, e mi viene in mente solo madame du Barry sul patibolo.

Lepore sorride. Sembra molto soddisfatto.

– Sono sicuro che non li vedremo piú. Manca una firma in calce all'accordo, ma sono dettagli, – dice. – Cosa pensa della signora Trevisan? – mi chiede in tono affabile.

Non l'avevo mai vista prima, e non ho nessuna idea. Però mi sembra il caso di condividere con lui il successo professionale. Non capita tanto spesso di vederlo allegro.

– Capisco il sollievo. Si sentiva tutto, di là. Sarebbe stato imbarazzante se ci fossero stati altri clienti.

Lui dà brevi boccate alla pipa. Il sorriso adesso è meno esplicito, come se lo stesse risucchiando via mentre aspira dal bocchino.

– Lei ha un talento elusivo che mi disturba, – dice.

Rimango perplessa. Credevo volesse parlare dei Trevisan.

– Io? – domando.

Annuisce. – Una sorta di vocazione alla letizia che rasenta l'ottusità. Non è la prima volta che lo noto. Porto la sua attenzione su un fatto oggettivo, in genere sgradevole, e lei cerca comunque di darmene una versione edulcorata. Forse crede che questo basti a far dissolvere il fumo nell'aria.

Se intendevo conservare la sua soddisfazione, non ci sono riuscita.

– Non volevo eludere niente, ma non so nulla della signora Trevisan, e non so cosa rispondere.

– Questo non è un tribunale e io non le ho chiesto una perizia. Mi accontento di un'impressione. Cosa le dice l'intuito?

Ripenso alla donna che attraversava lo studio nel suo cappotto di camoscio slacciato che le arrivava fino alle caviglie. Portava una borsa al gomito, e stringeva in una mano il cellulare e nell'altra un'agenda in pelle rossa e lucida dello stesso tono dello smalto. Attirava l'attenzione, e uscendo non mi ha salutato. Non so nemmeno se si sia resa conto che c'ero.

– Direi che è bella.

Lepore fa una smorfia. Non arrivo al punto.

– Questo è ovvio e inutile. Cos'altro?

– Appariscente. Altezzosa, forse. È difficile capire dove sia davvero. Quanto a fondo si nasconda, intendo.

Lui ci pensa su. Forse sta solo trattenendo il nervosismo. Infatti alla fine scuote la testa.

– Una battaglia persa. Non riesce a osare un'opinione personale nemmeno protetta dal piú assoluto anonimato. Va bene, – dice, come se avessi manifestato il minimo interesse, – si sieda. Le racconto chi è Irene Trevisan.

Ubbidisco di malavoglia.

– Si ricorda di Annamaria Pincherle, vero?

Mi ricordo, certo. La cliente a cui ho consegnato documenti durante la prima settimana di lavoro. Sembra dieci anni fa. Annuisco.

– Bene. Rispetto alla Pincherle, e a tutte quelle come lei che nascono ricche e viziate, qui si gioca in un'altra categoria –. Si sporge in avanti con i gomiti sulla scrivania e le mani intrecciate. – Le missionarie unghiute dell'arrampicata. Quelle che partono dal basso e devono fare piú fatica. E arrivate in cima fanno terra bruciata.

Chiudo gli occhi cercando di raccogliere le energie. Stavolta voglio avere l'opportunità di rispondere.

– La conosco da molto tempo, – riprende, – anche se appartiene a un ambiente diverso dal mio. L'ho osservata da lontano, è sempre stata capace di attirare l'attenzione. Suo padre e lo zio erano ottimi restauratori, se la portava-

no dietro da bambina. Me la ricordo che girava per casa,
trent'anni fa. Guardava i mobili e l'argenteria con una frenesia rapace. Chiedeva permesso, poi prendeva gli oggetti dalle mensole e li osservava con una cura sorprendente
per una ragazzina di quell'età. Ma non era senso estetico.
Piuttosto sembrava che pensasse: questa cosa dovrebbe
essere mia –. E fa una risatina che suona come un colpo
di tosse, secca e compiaciuta. – Perché una ragazzina di
quattordici anni si siede sul divano ad aspettare, mentre
il padre e lo zio sistemano una consolle o una cassettiera
appena restaurata?

Corruga la fronte alla ricerca del termine piú appropriato. Lo trova: – Per catalogare. Sí, catalogava. Le case. E
le persone. Registrava ogni possibile accesso permanente.
Voleva entrare a ogni costo, non dalla porta di servizio
accompagnando un artigiano. Voleva entrare per rimanere. Poi la natura l'ha aiutata, non c'è dubbio. È bella, e
soprattutto è tenace. Se non lo fosse stata, sarebbe riuscita
a diventarlo. Si sarebbe smaterializzata attraverso un muro se fosse servito. E a sua discolpa devo dire che il mondo non offre molte possibilità per quel genere di talento.
È sveglia, ma non particolarmente intelligente. Di sicuro non era fatta per una carriera tradizionale. La strada
piú prevedibile era quella classica. Manipolare l'erede di
un patrimonio e farsi sposare. In quegli anni ha preso in
considerazione chiunque, perfino me, la differenza di età
non la spaventava. Bisogna essere attrezzati di gran pelo
sullo stomaco per certe vocazioni. Anni dopo ha cercato
di convincermi che le attenzioni di allora erano state solo
una forma di pietas filiale, perché la conosco da quando
era una ragazzina. Io fingo di crederle e sto al gioco. Mi
segue, Rosita? Questa storia le interessa?

Annuisco, in fondo sto mentendo solo in parte. Vorrei

non essere qui, ma la donna non mi è affatto simpatica. Il resoconto della sua scalata solletica i miei istinti peggiori. Che è molto piú di quanto ricavo normalmente da queste chiacchierate.

– Alla fine ha trovato Trevisan, – continua. – Che era abbastanza giovane, abbastanza imbecille, e abbastanza ricco per farla arrivare dove voleva. Per un po' sono stati anche appagati, ognuno con quello che credeva di avere comprato sposando l'altro. Poi lui ha aperto gli occhi. Forse si è innamorato di un'altra, non so, questo non me l'ha detto e io non gliel'ho chiesto.

Sono sorpresa. – Cioè, ha deciso lui di separarsi? Strano. Non ci vuole molto a capire che la moglie non è un tipo malleabile.

– Infatti è inconsueto, dico anch'io. È piuttosto raro che siano gli uomini a chiedere il divorzio, soprattutto a questo livello. Anche in presenza di un'altra donna le disponibilità economiche consentono sempre alternative piú discrete. Invece lui l'ha fatto, e ha offerto alla moglie un'uscita molto generosa. Lei non ha nemmeno voluto sentirne parlare. Quindici anni per costruire il palco, e poi finire cosí? Quindici anni sono sufficienti per capire che la ricchezza è irrinunciabile, ma di sicuro non può renderti felice. E se Irene Trevisan era riuscita a fare a meno della felicità, chi era il marito per pensare di potersela permettere?

Gli ha reso la vita un inferno. Non per una questione di soldi, perché quelli li avrebbe avuti comunque. È diventata una questione di principio. Non poteva permettergli di sganciare la catena. Dovevano soffrire insieme, fino all'ultimo. Del resto, per la mia esperienza, lo scopo del matrimonio è solo quello di potersi odiare con tutto l'agio necessario. Un progetto di disfacimento a lungo termine. È impressionante la rabbia che si scatena in una donna abbandonata, quando il compagno decide di sottrarsi al patto implicito di mutua sofferenza.

Raccontando si infervora, e la mia bolla di divertimento esplode quasi subito. È cosí determinato a suscitare la mia rabbia che mi sfugge un sorriso di compatimento. Mi intristisce sapere che per poter dare senso alla vita si debba rimestare nel torbido in questo modo.

Lui lo nota. – Cosa la diverte?

– Niente, – rispondo. – È una storia interessante.

Se devo stare qui senza poter reagire, lo farò difendendo la posizione.

– È piú che interessante. È esemplare. Tra le arrampicatrici Irene Trevisan è un campione della categoria, oltre ai soldi difende un ideale. Molti dei divorzi che vedo hanno le stesse caratteristiche, d'altronde questo è uno studio con un tariffario impegnativo.

– Quindi lei dice che le donne che sposano uomini ricchi lo fanno solo per interesse. Nessuna che l'abbia fatto per amore, o almeno convinta di provare qualcosa? Perché non mi pare realistico che siano tutte degli avvoltoi.

Mentre parlo mi accorgo di non avere cosí tanta paura di lui come mi capita se sto zitta. Lepore sembra dare un peso a quello che dico.

– No, nessuna. L'unica cosa che varia è il grado di consapevolezza, – dice lui, – ci sono quelle che si raccontano favole. Credono di metterci qualcosa di profondo perché sono state educate a sentirsi in colpa quando agiscono senza coperture sentimentali. Ma è un alibi. E tra l'altro pericoloso, quando poi i nodi vengono al pettine vogliono essere risarcite sia dell'investimento che del sogno.

Mi osserva con malizia. Aspetta che gli dia ragione.

– Invece lei conosce donne sposate a grandi patrimoni che abbiano dato prova di devozione disinteressata? – chiede.

Mi alzo, forse con troppo slancio.

– No, non credo di avere mai conosciuto donne sposate a uomini ricchi. Né devote, né ingrate.

– Quelle devote senza un secondo fine non esistono. Mi creda.

– Gli uomini invece sono tutti innocenti?

Mi guarda come fosse una domanda insensata.

– Cosa c'entra questo?

– È che la sua interpretazione mi sembra forzata. Non è la prima volta che cerca di dirmi che è sempre colpa delle donne. È possibile che sia cosí semplice? Succederà anche il contrario, no? Ci saranno uomini che tentano una scalata sociale attraverso donne piú ricche.

– Ovviamente sí. Non ho mai detto il contrario.

– Allora perché mi parla solo di comportamenti femminili deviati?

– Non certo per difendere gli uomini. Però la natura maschile è piú lineare. L'uomo è un fesso abitudinario, meno incline a cercare assoluzioni sulla base del genere. Le mie riserve sulle donne, invece, dipendono dal fatto che peccano avendo la pretesa di uscirne con la coscienza pulita. Questo le rende piú interessanti. Piú ridicole. E piú perverse. Mi limito a prenderne atto. Per il resto, il mondo è pieno di idioti di entrambi i sessi, e io penso male di tutti allo stesso modo.

– Ma perché lo dice a me: perché sono una donna? Cosa vuole, che le dia ragione? Non mi sembra che abbia a che fare con il mio lavoro.

Lui si appoggia con la schiena alla sedia.

– Vuol dire che non si diverte con le nostre piccole incursioni nell'antropologia del diritto di famiglia? Se la cosa le crea disagio possiamo interromperle in qualsiasi momento. Pensavo che potessero essere istruttive per lei. Il punto di vista disincantato di un uomo anziano con qualche esperienza del mondo.

Cambia le carte in tavola. La butta sul piano dello scherzo inoffensivo che io fraintenderei perché magari sono permalosa o perché il mio equilibrio ormonale è precario.

Intravedo il sottotesto di sfida. Dillo che mi odi, che mi disapprovi. Dillo, se hai coraggio. Ma tu non ne hai. Lo so.

Sono ancora in piedi di fronte alla scrivania, esitante. La mia rabbia si smonta e retrocede. Lui aspetta una risposta.

– No, certo, non ho nulla in contrario, non volevo dire questo, – rispondo.

Sorride. – Bene. Comunque per oggi abbiamo finito.

E mi lascia libera di andare.

Esco dall'ufficio stanca e frustrata. Spalanco il portone del palazzo con tanta energia che mi sfugge e devo riprenderlo al volo in modo che non sbatta contro la parete. Appena metto il naso fuori mi trovo una donna davanti.

– Scusi, – le dico scivolandole a fianco per non urtarla.

Lei si sposta con me. Penso a uno di quegli stupidi errori involontari e sorrido debolmente. Ripeto ancora: – Scusi, – e passo dalla parte opposta. Lei mi segue di nuovo.

A quel punto alzo gli occhi. È bionda, ha gli occhiali da sole. – Rosita Mulè? – chiede.

Mi disturbano quelli che non si presentano. Siamo sotto lo studio, sarà una cliente dell'avvocato che non ho riconosciuto. Strano però che sappia il mio nome.

– Lei cerca l'avvocato Lepore, immagino.

– No, cerco lei.

La piazzetta in questo momento è deserta, a parte una sagoma dall'altro lato della strada, parzialmente nascosta dall'ombra del porticato. Non vedo la faccia, eppure lo riconosco subito. È Maurizio.

Lei segue la traiettoria del mio sguardo, e annuisce con una smorfia. – Cosí adesso immagina chi sono, no?

Non dico niente, guardo meglio la donna. È alta, massiccia, trema, e non sembra spaventata.

– Mi scusi, non la conosco, – le dico, e mi avvio cercando di restare calma.

Lei mi si affianca, fa qualche passo accanto a me, all'improvviso scarta di lato e mi dà una spinta leggera. Niente di particolarmente aggressivo, però mi costringe a fermarmi e a fissarla. Con la coda dell'occhio intravedo Maurizio. Si è spostato con noi quando abbiamo iniziato a muoverci. Non accenna a intervenire.

Lei si toglie gli occhiali. È stravolta, spettinata, senza borsa. In mano tiene un mazzo di chiavi. Sta boccheggiando.

– Chi crede di essere? – mi sibila a un centimetro dal viso. – Pensa di potermi scaricare cosí?

– Io non penso niente, – le dico. – E non so cosa vuole da me.

– Voglio che lasci stare mio marito. Che si trovi un uomo suo, e smetta di ossessionare quello delle altre!

Ossessionare? Penso al rapporto stentato e saltuario che c'è tra me e Maurizio. Se la situazione non fosse estrema credo che le riderei in faccia.

– Io non ossessiono nessuno, – dico a bassa voce.

– Scommetto che pensa di essere speciale. Magari lui le ha raccontato che siamo in crisi. Le ha promesso che con me è finita, vero?

Mai detto niente del genere.

Poi alza la voce:

– Ce ne sono state cento prima di te, – e passa a darmi del tu. – Ce ne sono cento anche assieme a te. È un patetico seriale! – Indica Maurizio. – È bravissimo solo a trovare delle coglione. Non avrai mai niente da lui, lo capisci? Niente! – e mi strattona per le spalle.

Non ho mai avuto niente da lui, se è per questo. A parte qualche occasionale momento di compagnia. Forse anche bello. Ma non abbastanza per farmi delle illusioni.

Mi domando se Maurizio riesca a sentire quello che diciamo. Provo un'amarezza infinita per questa scena cosí meschina, perché fra noi segna un confine da cui non si ritorna. Lui che mi abbandona in balia di sua moglie, come se quello che è successo fosse solo colpa mia. Baratta la sua unica speranza di salvezza con la mia testa sul ceppo. La nostra storia che muore stasera mi affligge, ma mi fanno molta piú tristezza loro che magari hanno perfino un futuro.

L'idea che il possesso sia una cosa da affermare con la forza, come tra gli oranghi, è già uno spettacolo penoso. Che poi lui se ne resti a guardare senza intervenire, dopo avere vuotato il sacco, mi dice che questo teatrino con ogni probabilità è un copione fisso del loro matrimonio, recitato chissà quante volte, forse con un certo successo, perché sono ancora insieme e quindi in fondo il cerimoniale funziona, riesce a tenerli legati. Insoddisfatti, amareggiati, ma insieme. Una catarsi al contrario. Li seppellisce invece di liberarli.

Un attimo dopo il tono cambia di nuovo. Si vede che il registro emozionale deve fare il giro completo. Gli occhi della donna si riempiono di lacrime. Mi afferra il braccio destro e china la testa in una sorta di supplica.

– Per favore, mi deve giurare che non lo vedrà piú. Per favore.

Adesso riprende a darmi del lei. Si copre la faccia con le mani e comincia a piangere sommessamente, una bambina sconsolata, le spalle che sussultano sotto la giacca.

Maurizio è uscito dall'ombra, mantiene una ragionevole distanza, però lo vedo meglio. Anche lui ha una faccia stravolta, sembra che preghi. «Signore, fammi uscire vivo da qui». Si rivolge a me o a lei? È cosí diverso dall'uomo che conosco, e che era una creatura al di sopra del giudizio, inafferrabile e indefinibile. Mi stanno implorando entrambi, ognuno a modo suo, di aiutarli a tenere in piedi la baracca, come se il loro matrimonio dipendesse da me.

– Sono sicura che dopo stasera lui non mi cercherà piú. In ogni caso, se dovesse farlo, io non risponderò.

Lei abbassa le mani e scopre il viso, le lacrime si fermano. Forse non è abituata a questo genere di resa incondizionata. Per un momento pare che la attraversi una specie di lampo di riconoscenza. Poi mi dà uno spintone con tutte e due le mani e mi fa cadere.

Incombe sopra di me e urla: – Ti conviene, stronza! Altrimenti giuro che ti ammazzo! – Poi scappa lungo il portico. Maurizio mi dà un'ultima occhiata, fa come per dire qualcosa, ci ripensa, e si mette a correre dietro di lei.

Resto seduta per terra, senza riuscire a muovermi per lo stupore. A malapena registro un rumore di passi dietro di me. Una mano mi afferra sotto il braccio.

– Lei ha delle strane amicizie, Rosita, – mi dice Lepore spazzolandosi il cappotto, che ha sfiorato il selciato mentre si chinava per aiutarmi a rimettermi in piedi.

– Non era un'amica, – rispondo. L'idea che possa avere assistito alla scena aggrava la situazione che è già abbastanza penosa.

– La signora era piuttosto arrabbiata.

Spero che non mi chieda cosa è successo, o perché la donna ce l'avesse con me. Non potrei sopportare anche questo, dopo la scenata, specie da uno che ha il talento di parlare solo di argomenti che mi mettono in difficoltà.

– Da qualche tempo lei mi sembra diversa, – dice invece con convinzione.

Lo guardo stupita.

– Vedo che torna a casa volentieri con i vestiti che prima non portava mai fuori dall'ufficio, – continua, – e che a volte li indossa anche prima di arrivare. Ha una diversa cura di sé.

Ci penso. È vero. Ma cosa c'entra questo adesso?

– A volte, – sussurra, – un certo tipo di metamorfosi, e una situazione difficile come quella da cui è appena passata, – e indica in modo vago nella direzione in cui sono scomparsi Maurizio e sua moglie, – possono essere collegati.

Resto interdetta.

Aspetto che mi spieghi cosa diavolo intende. Ma lui si gira e se ne va. Si allontana con lentezza, leggermente zoppicante. Un odioso, vecchio sadico stanco e claudicante.

Mi lascia in mezzo alla strada senza chiedermi se sto bene, o se ho bisogno di qualcosa. È stato solo uno spettacolo per il suo personale divertimento.

Potrei perfino pensare che la messa in scena sia stata opera sua. Ma non è cosí, non ne ha bisogno, e me l'ha anche spiegato. «La partita rimane sempre nelle mani dei giocatori, io resto fuori». La forza del suo cinismo produce merda anche senza che lui faccia niente di specifico per provocarla.

Sento che le mani mi vanno a fuoco. Le guardo: sono rosse, infiammate. Ancora la dermatite. Comincio a grattarmi tra il pollice e l'indice della mano sinistra, poi in mezzo alle dita. Il prurito non passa, insisto. Non mi fermo nemmeno quando la mano mi si riempie di minuscole stille di sangue.

Autunno 1959.

A ottobre inizia l'università, e Ludovico e Guido si separano. Ludovico a Giurisprudenza e Guido a Medicina. Nessuno dei due ha provato davvero a mettere in discussione il cursus honorum familiare, e il contraccolpo è forte.

In particolare per Ludovico – che è un giovane uomo molto fiero della sua autonomia emotiva – è duro scoprire che ogni cosa che capita, ogni dettaglio irrilevante delle sue giornate, non ha piú lo stesso significato se non può essere condiviso con Guido. La sua vita ormai è piena di cose e persone che con lui non avranno mai a che fare.

Per la prima volta accumula qualche ritardo sul programma di studi che si era prefisso, e vedere Guido diventa sempre piú complicato. La frequenza delle lezioni è impegnativa, e anche quando riescono a incontrarsi l'amico è distratto, evanescente.

Non fa che parlare di persone nuove come se lo entusiasmassero, e per Ludovico, che non ha nulla di interessante da raccontare proprio perché senza Guido le esperienze sono incolori, quella foga ha qualcosa di volgare, è una sorta di tradimento. Si attacca alla rievocazione del passato per recuperare un terreno comune, ma Guido spesso taglia corto. Quello che ha davanti a sé lo attira molto di piú di ciò che si è lasciato alle spalle.

Al rientro dalle vacanze di Natale, Guido gli annuncia che la sessione invernale lo impegnerà parecchio. Parla come se il posto di Ludovico non fosse piú cosí scontato.

– Possiamo comunque studiare insieme, come al solito, no? – propone timidamente Ludovico, una sfumatura di imbarazzo nella voce. Odia la debolezza, la propria piú di quella altrui.

Guido lo liquida: – Mi dispiace. Ho un gruppo di studio, ci vediamo in casa di altri. Sono persone che non conosci.

Ludovico si ritrova solo. Appena tre mesi dopo l'inizio dei corsi deve fronteggiare l'eventualità piú dura: Guido si sta allontanando. Non era stato il suo unico amico, anche se era di gran lunga il migliore, e quando gli altri contatti si diradano capisce che tutti quelli che aveva frequentato per anni c'erano stati perché Guido faceva da mediatore fra lui e il mondo. Ludovico non ha il carattere per conservare un'amicizia, e meno ancora per andarsene a cercare di nuove. Troppo sulfureo e permaloso. Troppo tagliente. Guido gli ha garantito una vita sociale senza che lui nemmeno se ne rendesse conto. Adesso che va per la sua strada, Ludovico è uno scoglio isolato verso cui nessuno nuota.

Per di piú Ludovico sospetta che Guido si comporti in questo modo intenzionalmente, vuole punirlo. Punirlo di cosa?

Guido non ha nessuna difficoltà a crearsi un giro di amicizie nuove. Ludovico lo vede spesso uscire, la comitiva passa a piedi sotto le sue finestre. Alle nove di sabato sera di sicuro non stanno andando a studiare. Ma Guido non lo chiama mai e non lo invita a unirsi.

A casa si accorgono di quello che sta succedendo, e chiedono con insistenza, esasperandolo.

Poi a primavera Guido si fa vivo di nuovo e Ludovico va a casa sua un paio di volte. Ma non sono mai soli. Gli incontri servono a fargli capire che ormai l'amico è perfettamente integrato in un gruppo che lo esclude. Sono persone che appartengono piú o meno alla medesima cerchia di cui hanno sempre fatto parte. Vecchi compagni di scuola, molti dei quali non studiano neppure Medicina. Alcuni sono a Giurisprudenza con lui, e se li incontra in facoltà a malapena lo salutano. Non hanno nessun diritto particolare di restare vicini a Guido piú di quanto ne abbia lui, se non che Guido consente loro di avvicinarsi mentre con lui aumenta la distanza.

Ludovico esce da quelle serate estenuato dallo sforzo di mostrarsi indifferente. Guido gli si avvicina mille volte, gli sfiora una spalla chiedendo: – Allora, come stai? – Poi si allontana subito con una scusa qualsiasi prima che l'altro apra bocca per rispondere.

Ogni volta che esce da casa di Guido, alla fine di una di quelle feste inutili, Ludovico non può fare a meno di passare accanto alla mensola lungo il corridoio. Ci sono molte foto allineate, diverse delle quali li ritraggono insieme a tutte le età.

In fondo alla fila, come un sorvegliante che vigila e impedisce l'accesso al loro passato, c'è la statua dell'efebo di Volterra, l'*Ombra della sera*.

È quella l'ultima visione che Ludovico si porta dietro rientrando a casa, incattivito e malinconico, sul lato opposto della strada.

Sogna Guido di continuo. Sono sempre insieme, e sempre impegnati in qualche impresa eroica. Scavalcano fossati, scalano montagne, liberano prigionieri, annientano armate, oppure nuotano immersi in laghi vasti e preistorici di cui non si vede la riva. A volte lottano contro eserciti senza faccia, a volte sono l'uno contro l'altro. Si prendono a pugni e rotolano nella polvere. Quando il sangue comincia a scorrere raddoppia la violenza. Si armano con quello che trovano: bastoni, pietre, schegge di metallo raccolti dal ciglio della strada. Diventa un massacro, si staccano a vicenda arti e organi, finché della forma umana non rimane nulla, solo due scheletri con un'arma in mano, animati dal desiderio di annientarsi.

Si sveglia nel cuore della notte disperato ed eccitato. Non può ignorare l'erezione sotto le lenzuola che sconta masturbandosi furiosamente, ma non riesce a conciliare tutto il sangue che ha sognato con l'emorragia emotiva che gli apre il petto quando viene, ansimando. Eppure ci sono entrambe le cose. Il desiderio di avventarsi su quel corpo e farlo a pezzi, e quello piú arrendevole di penetrarlo e possederlo.

Sa che deve accettare ciò che ha visto, non può piú nascondersi la verità, è qualcosa che esula dal suo potere.

Decidere cosa farne però è un'altra storia. Quello è un atto della volontà e dipende solo da lui. Non c'è spazio per una cosa simile nella sua vita. Non riesce nemmeno a nominarla. Non c'è spazio, non ci sarà mai.

9.

Guardare Dina ha sempre avuto un effetto calmante su di me. È in piedi nella sua minuscola cucina e prepara una tisana.

Mi ha chiamata ieri sera mentre ero nel mezzo di una crisi di pianto. La visione di Maurizio che rimaneva laggiú, senza il coraggio di coprire la distanza fra me e lui o di dire una parola, continuava a tornarmi in mente. Appena mi sono chiusa in camera le lacrime hanno preso a scendere giú senza un singulto, come una perdita d'acqua.

Ho creduto che fosse per la rottura inevitabile, per averlo perso all'improvviso, e senza poterlo salutare. Poi ho capito che piangevo per lui. Non per noi, per lui. Per l'imbarazzo che provavo all'idea di aver creduto che fosse un altro genere di uomo, invece della creatura impotente che è. E piangevo anche per quell'assurdo gesto di Lepore. Farmi capire di aver assistito alla scena senza nemmeno chiedermi se stavo bene, se avevo bisogno di qualcosa.

Dina mi ha telefonato in quel momento e non sono riuscita a nasconderle le lacrime. Ero talmente sollevata al pensiero che non fosse mia madre, che appena mi ha chiesto «Come stai?» ho mollato il colpo e le ho detto tutto.

Le ho raccontato ogni cosa di Maurizio. Non l'avevo mai fatto prima, ma lei aveva intuito anche da sola. Se lo ricordava bene nel periodo in cui frequentava il supermercato. Poi l'aveva rivisto ogni tanto, quando veniva a prendermi, e non mi aveva mai fatto domande.

Credo di avere avuto paura che mi giudicasse. Ieri però non ce l'ho fatta. Le ho detto di lui, dello scontro con la moglie nel pomeriggio, e di Lepore, dei sermoni malati che mi costringe ad ascoltare, perfino della dermatite, e tutto senza smettere di piangere.

Lei mi ha ascoltata in silenzio e alla fine ha detto: «Sabato mattina sono di riposo. Vieni qui. Ci beviamo una cosa e mi racconti meglio». Avrei dovuto studiare, ma tanto sapevo che non sarei stata capace di concentrarmi e quindi ho accettato.

La guardo che spegne il fuoco sotto il bollitore, infila due bustine nella teiera e mi parla delle ultime novità del supermercato. Storie qualsiasi sui clienti abituali, i fornitori, i ragazzini delle consegne. Banalità che mi tranquillizzano.

Mentre chiacchiera, ogni tanto in cucina passa un ragazzino e chiede qualcosa. Dina ha tre figli, di quattordici, sedici e diciannove anni. Maschi. Indipendenti. Oggi non vanno a scuola, hanno tutti qualcosa da fare. Uno passa a salutare e poi esce con gli amici. Un altro rientra dal calcetto e va a farsi la doccia. Dina non ha mai un tono imperativo o infastidito. Ascolta, accoglie, dà qualche suggerimento. Stringe forte solo il piú piccolo perché è lui che va a cercarsi un abbraccio, ma appena accenna a sganciarsi lo lascia andare. Non esercita nessuno sforzo per aprire le braccia o per chiuderle. Fluisce fra i suoi figli concava, accogliente e spontanea.

Mi versa la tisana, poi accompagna il figlio piú grande alla porta mettendogli in mano un biglietto da dieci euro.

Chissà come sarebbe stato avere una madre cosí. Affettuosa e indomita. Una che non confonde l'istinto materno con l'impulso a colonizzare gli spazi interiori dei figli.

Una con cui puoi parlare di tutto senza timore che le tue parole possano essere usate contro di te.

– Stanotte ti ho pensato, – dice mettendosi a sedere. – Mi fai preoccupare.

Abbozzo un sorriso, questo mi dispiace. – Per cosa in particolare? Per Maurizio? Oppure l'avvocato?

Lei scrolla le spalle. – Il coglione si può considerare una cosa superata, no? Spero che tu non abbia intenzione di rivedere uno che racconta tutto alla moglie come se fosse stato stuprato contro la sua volontà, e resta lí fermo mentre lei ti aggredisce.

Cerco un modo diverso per descrivere quello che è successo. Lo faccio per me, per la mia dignità. Però è cosí che sono andate le cose, ed è inutile girarci intorno.

– Non posso dire che mi abbia aggredito. Non voleva picchiarmi. Credo avesse solo intenzione di farmi paura. Magari se la situazione fosse degenerata Maurizio avrebbe fatto qualcosa, non so.

– Per carità, ti prego. Non parliamone piú. Promettimi solo che cancelli il numero dalla rubrica e se prova ancora a cercarti non rispondi, – dice premendo la sua mano sulla mia. Io esito. Lei stringe: – Prometti.

Faccio segno di sí con la testa. – Tanto non chiamerà. Anche lui sarà imbarazzato.

– Questo è quello che immagini tu perché al posto suo ti vergogneresti. Ma al posto suo non ci sei tu, c'è lui. E comunque dimmi solo che se succede non rispondi. Piuttosto è l'altro che mi preoccupa. L'avvocato. Prima ti sequestra in studio per tenerti prediche paranoiche e poi, fuori, invece di aiutarti, cos'è che ti ha detto, ripetimelo un po'?

Ripenso alle parole precise, non le ricordo.

– Qualcosa sul fatto che ora mi trucco, e mi vesto con piú attenzione.

Dina mi accarezza una guancia: – È vero, sai? – dice con affetto. – Mi fa piacere vederti cosí. Sei carina.

– E che questo aveva a che fare con la cosa che era appena successa.

Dina chiude la tazza con entrambe le mani, e ci appoggia sopra il mento, pensierosa. Resta qualche secondo a riflettere.

– In pratica ha detto che se ti vesti con cura è normale che gli uomini ti notino. Se però le mogli si incazzano non ti devi lamentare perché vuol dire che te la sei cercata. Giusto?

La guardo. – Piú o meno.

– Quindi prima ti dice che sei una zotica ciabattona e ti impone di vestirti in un certo modo per il buon nome dello studio. E dopo che l'hai fatto, ti dà della troia.

Non rispondo.

– E ogni tanto ti convoca nel suo ufficio, senza nessuna ragione particolare, e comincia a insultare le donne. Anche se tu non hai nessuna voglia di restare lí.

– Non so. Forse è colpa mia che non riesco a fargli capire che sono a disagio.

– Non mi piace.

– Nemmeno a me. Ma è il lavoro migliore che potessi trovare. Riesco a studiare anche quattro ore al giorno, e a frequentare le lezioni. Ho ancora una settimana prima dell'appello di Fisiologia. È la quinta volta che provo a passarlo, ma la prima in assoluto in cui sento di avere qualche possibilità. Non posso farmi cacciare. È troppo importante.

– Lo so, però non mi sembra a posto. Sei sicura che non sia il genere di schifoso che prima o poi ti mette le mani addosso?

Ci penso. È meschino ed egocentrico. Ma non mi ha mai dato l'idea di essere attratto da me.

– Non lo so. È cosí diverso da quello che sembrava quando l'ho conosciuto che non posso essere sicura. Però non credo. Dubito di piacergli in quel senso. E comunque fino a oggi non mi ha mai sfiorata.

Ripasso mentalmente i nostri sporadici incontri, sono davvero tutti molto formali. Nessuna allusione viscida, nessun contatto fisico involontario. Alla fine non ha neppure sfruttato la visita all'officina meccanica. Se mi avesse obbligata a fargli un resoconto avrebbe avuto un appiglio per lasciar cadere qualche commento pesante. Però non è successo.

– No, da quel punto di vista è innocuo. Non credo che mi farebbe niente del genere.

Sono giorni ormai che dormo a fatica poche ore per notte, e mi sveglio con la pressione sotto i piedi. Ogni tanto riaffiora qualche ricordo sgradevole della scenata sotto i portici, per fortuna ho poco tempo per pensarci. Dopodomani ho l'esame di Fisiologia, oggi è l'ultimo giorno di lavoro prima dell'esame. Ho chiesto di restare a casa domani, per un ripasso generale. A sorpresa la Callegari mi ha autorizzata.

Quando entro in studio sono lí tutti e due, Lepore e la Callegari, e parlano in piedi, davanti alla mia scrivania. Si girano appena sentendo aprire la porta, poi riprendono a discutere.

Dopodiché Lepore esce, e la Callegari mi aggiorna. La mattinata sarà piena. I Trevisan hanno deciso all'ultimo momento che vogliono concludere oggi la transazione. Ma c'erano già diversi appuntamenti in agenda, e per riuscire a infilarli serviranno tatto e molta discrezione. Qualcuno sarà costretto ad aspettare.

Apre l'agenda e fa scorrere il dito sui primi due appuntamenti.

– Questo, e anche questo. Telefona e spostali avanti di mezz'ora. Il primo alle dieci e il secondo alle undici meno un quarto. Questo invece, – indica un cognome accanto al quale c'è un punto interrogativo, – era comunque in attesa e aspettava una conferma. Chiamalo e digli che l'unico buco libero è in pausa pranzo. Se accetta, quando arriva lo mandi da me.

In lista ci sono un altro paio di nomi. Riconosco l'ultimo: Jarmolenko. A meno che non sia un'omonimia, è l'ucraina che lavora da Lepore. Chiedo alla Callegari: – E questi due? Non telefono per spostarli?

Fa una smorfia. – Come vuoi, comunque sono postulanti. Se dipendesse da me non li farei nemmeno entrare, ma non sono io che decido. In ogni caso in tarda mattinata i ritardi sono fisiologici. Questa, in particolare, – indica il cognome della slava, – ha chiamato ieri sera tardi e non può avere troppe pretese. Se è necessario aspetterà. Lo fa sempre.

I Trevisan arrivano in leggero ritardo, seguiti da un codazzo di gente di cui fatico a immaginare il ruolo. La Callegari li accoglie e li accompagna in sala riunioni. Cinque minuti dopo rientra Lepore. Faccio appena in tempo a chiedergli se devo procurarmi da mangiare anche stavolta.

– No, quella fase è superata. Ormai è tutto nero su bianco. Li voglio fuori di qui in mezz'ora, – dice, e li raggiunge.

Il corteo dei Trevisan esce quasi puntuale e dopo di loro arrivano altri clienti in agenda che smisto tra Lepore e la Callegari, secondo le indicazioni.

La mattinata passa veloce.

Quando suona la Jarmolenko però, poco prima di mezzogiorno, la scaletta ha già subito parecchi ritardi.

Apro la porta, sembra non riconoscermi. Mi passa accanto diretta verso la sala d'aspetto.

– Le porto qualcosa da bere? L'avvocato è in leggero ritardo.

– No, grazie, – mi risponde frugando nella borsa, – aspetto –. Poi alza lo sguardo e a quel punto si ricorda di me: – Come stai? – mi chiede sorridendo. – L'avvocato mi aveva detto. Lavori qui ora. Ti piace?

Ci penso un momento di troppo prima di rispondere. Non so se posso davvero fidarmi di lei. Poi mi ricordo che loro due vivono sotto lo stesso tetto e che lo conosce senz'altro meglio di me. Magari è obbligata a sua volta a subire monologhi senza contraddittorio, almeno io la sera torno a casa.

Infatti non aspetta la risposta. Prende una rivista dal contenitore accanto al divano, tira fuori un paio di occhiali rossi dalla borsa, e comincia a sfogliarla. – Aspetto, – mi ripete guardandomi da sopra le lenti, – io aspetto qui.

La lascio seduta sul bordo del divano, le gambe serrate, il busto chino in avanti. Sono costretta a farle passare davanti una persona che arriva dopo di lei perché queste sono le disposizioni ricevute. La scavalca anche una donna che si è presentata senza appuntamento. Ogni volta che entro la trovo seduta nella stessa posizione, con la rivista in mano. Alza gli occhi, capisce che non è il suo turno, li riabbassa e riprende a leggere.

All'una Lepore mi chiama al telefono interno. – Larisa è andata via? – mi chiede.

– No, è ancora in sala d'aspetto.

Sospira innervosito. – Non si scoraggia mai. Mi porti il suo fascicolo, ma la lasci dov'è.

Quando entro nello studio afferra la cartella, la apre e la sfoglia di fretta.

– Non so se avrò tempo di vederla oggi, qui c'è tutto, ci pensi lei.

– Cosa? – rispondo preoccupata.

– Dia uno sguardo alle carte, – insiste, e fa scivolare il fascicolo sulla scrivania verso di me.

Non riesco a capire come gli venga in mente una cosa del genere.

– Ha a che fare con il furto del portafoglio? – chiedo per guadagnare tempo.

Mi risponde irritato: – È successo quattro mesi fa. Per cose come quelle basta andare in commissariato. No, è un'altra faccenda. Legga gli appunti e la denuncia, è piú che sufficiente per farsi un'idea. Poi la porti a pranzo al bar qui sotto, e le dica qualcosa di consolatorio. E non mi guardi cosí: se parlasse con me non cambierebbe nulla. Non c'è altro da fare se non aspettare che la vicenda segua il suo corso. L'unica ragione per la quale continua a presentarsi è perché ha bisogno di conforto. Le visite sono un rito. A volte aspetta ore per vedermi. Crede che questo dia alla faccenda una sorta di autorevolezza… – sospira annoiato, – oggi però non ho tempo di starle dietro.

– Non so niente di questa storia! – insisto.

Il suo cellulare suona. Lepore taglia corto. – Se ho tempo, vi raggiungo quando mi libero. Se non mi vede, inventi una cosa qualsiasi per mandarla via. Prenda qualche iniziativa, andiamo! Può raccontare quello che vuole –. Dopodiché risponde e mi liquida.

Esco dallo studio infuriata. Mi mortifica dover raccontare storie alla Jarmolenko. È difficile immaginare che Lepore farebbe lo stesso se lei non fosse anche la sua donna di servizio. Mi sembra di una scorrettezza inaudita.

Mi siedo e sfoglio le carte. È una causa di lavoro. Mi pare si tratti di una denuncia contro un dermatologo presso

cui la donna ha lavorato anni fa senza uno stipendio ade-
guato, forse in nero. C'è tutta una terminologia tecnica
che mi sfugge. Vedo richieste di contributi, straordinari,
liquidazione, ferie non pagate. Gli appunti di Lepore non
aggiungono molto, oltre a quello che si deduce dalla denuncia. Qualsiasi altra considerazione tecnica è del tutto al di
fuori della mia portata. Non ho idea di cosa raccontarle.

La raggiungo in sala d'aspetto. Lei abbandona subito
la rivista sul divano e alza lo sguardo. Vedo bene che non
ha pretese, che potrebbe aspettare ancora fino a stasera,
se necessario. La rivista è quella che aveva preso in mano
al momento in cui si è seduta, quasi un'ora e mezzo fa.
Magari sbaglio, ma sembra anche aperta alla stessa pagina.

– L'avvocato si scusa per il ritardo. Ha fame? Mi ha
chiesto di portarla al bar a prendere qualcosa. Ci raggiunge appena possibile.

Si rannuvola. Per lei deve essere una prassi venire qui
dentro per farsi umiliare. Per un secondo mi consola sapere di non essere l'unica vittima di Lepore. Poi penso
che, oltre alla Jarmolenko, anche la Callegari riceve la sua
parte, e magari ce ne sono altre di cui non so nulla, e mi
vergogno per la mia meschinità.

La Jarmolenko intanto raccoglie la borsa e la giacca
dall'attaccapanni, e mi segue a testa bassa fuori dall'ufficio.

Alla fine tutto si rivela semplice. Lepore deve averla trat-
tata cosí già cento volte prima di oggi, e ormai è rassegnata
al ruolo di cliente di terza categoria. Avevo paura che mi
sottoponesse a un fuoco di fila di domande cui non avrei
saputo rispondere, invece si accontenta della possibilità che
lui passi di persona, piú tardi, mentre noi mangiamo due
tramezzini tristi, ripieni quasi solo di maionese insipida.

Non devo raccontarle storie, non se le aspetta. Sa già
che non ho nulla di importante da dirle. Probabilmente

sono la centesima segretaria a cui Lepore la scarica. È lei, semmai, che per passare il tempo si sente in obbligo di darmi i dettagli.

– Ho lavorato lí dodici anni. Infermiera, segretaria, contabilità, pulizia. Tutto quello che serviva. Arrivavo alle sette e mezzo e andavo via anche alle otto di sera. Bello studio, all'Arcella, sai dov'è?

Annuisco, conosco il quartiere, anche se non è centrale.

– E un giorno il dottore mi butta fuori senza spiegazione. Cosí, *puf*. Un venerdí chiudo l'ufficio, e lunedí, quando apro, la chiave non entra nella serratura. Sulla porta c'è un cartello: lo studio chiude per ferie dal 14 al 27 settembre. Ma io non so di nessuna chiusura, – il ricordo la immobilizza, si blocca con il tramezzino in mano. Poi si riscuote: – Il padrone del bar lí di fronte mi vede, esce, mi dà una lettera. Da parte del dottore, dice. E nella lettera c'è scritto che lui non ha piú bisogno. C'è anche un assegno, con l'ultimo stipendio. Non completo, perché settembre era ancora a metà. Basta. Nemmeno grazie. Nemmeno buona fortuna.

Fa un sospiro incredulo fissando un punto oltre le mie spalle. Si china verso di me, mi afferra un braccio, mi costringe a piegarmi in avanti come se volesse confessare qualcosa di riservatissimo, e sibila: – Allora l'ho denunciato, quel maledetto! – Si rialza di scatto sbattendo il palmo aperto sul tavolo. I bicchieri sobbalzano.

Mi guardo intorno.

Un ragazzino seduto lí accanto, che stava facendo scorrere il pollice sull'iPhone, si è girato e ci fissa. È assieme a un altro ragazzo con un giubbotto in pelle nera e gli auricolari, che muove la testa al ritmo delle percussioni. Anche lui guarda il telefono, ma a differenza dell'altro non ha sentito il colpo. L'amico gli dà un calcio leggero per attirare la sua attenzione. Indica con il mento verso di noi. Quello col giubbotto si toglie un auricolare di malavoglia, e avvicina la testa per ascoltarlo. Parlano sottovoce. Ridacchiano. Poi vengono inghiottiti di nuovo dai telefoni, ognuno nel suo pianeta, assorbito da un passatempo non condivisibile.

La Jarmolenko va avanti. – Ho cercato un avvocato, ho chiesto in giro, non volevo uno qualsiasi. Io volevo il migliore. Il piú cattivo, e cosí ho trovato Lepore.

– Lavorava già per lui?

– No, lui mi ha assunto dopo. Sapeva che stavo cercando un posto, come te.

Un benefattore, penso. Forse spero che dica una cosa del genere, senza il sarcasmo che ho usato io nel formulare il pensiero. Perché magari cosí posso illudermi di essere io quella che esagera, e che lui sia migliore di ciò che sembra.

Invece non aggiunge una parola. La loro convivenza dev'essere difficile come la mia. Lei però è diversa. Non esita, non si pone nemmeno il problema. Vuole vendetta, e Lepore può procurargliela. Non importa se questo la obbliga a vivere accanto a un uomo ostile, forse neppure se ne accorge.

Però non mi torna il resoconto dell'intervento legale di Lepore, almeno fino a oggi. Perché la Jarmolenko accenna a una serie di trattative con il medico di cui non ho visto traccia nella cartella. È vero che non ne so un accidente, ma negli appunti non vedo riferimenti a operazioni successive alla prima denuncia, che ormai risale a quattro anni fa.

Non voglio correre rischi, quindi non sollevo il problema e lascio che continui a parlare. Mi racconta della sua vita in Ucraina, e dei primi tempi in Italia. Al posto del caffè che bevo io, lei ha una birra, la terza dall'inizio del pasto. Piccole, tutte e tre, e sufficienti a renderla malinconica.

Il passato riaffiora a sprazzi in modo disordinato. Prima il marito che ha lasciato a casa senza nessun rimpianto, e di cui non ha più notizie da allora. Poi il dermatologo con lo studio all'Arcella. Ancora un salto indietro, i figli. Non ne ha avuti e non le mancano. I genitori, morti anni fa. E piccoli eventi sconnessi e frammentari, lavoretti, amicizie superficiali, nessuna relazione stabile dopo il matrimonio.

– Ucraini, italiani, non fa differenza. Tutti uguali. L'italiano sembra più gentile i primi tempi. Poi alla fine è come gli altri. E per me è difficile, perché non sono una che accetta tutto. L'italiano con una slava pensa questo, che può fare quello che vuole. Perché l'italiana pretende. L'ucraina invece viene da un Paese dove gli uomini ti picchiano, ti rubano i soldi. Basta che tu non picchi, e sei meraviglioso –. Le si annacquano un po' gli occhi, forse pensa a qualcuno. Se però c'è stata una storia su cui si era fatta qualche illusione non me la racconta.

Ogni tanto, in mezzo a ricordi che emergono a fiotti, la rabbia esplode improvvisa. Quando le torna in mente il dermatologo ricomincia a tirare manate sul tavolo. Lo fa senza preavviso, non riesco mai ad anticiparla. Per fortuna ormai la pausa pranzo è passata e nel locale siamo rimaste solo noi.

– È colpa sua! Io non ero venuta a fare la badante! Avevo un lavoro vero, anche prima di partire. Volevo altro, sono diversa da quelle che arrivano qui. Tutte ignoranti, disoccupate, abbandonate dal marito con cinque o sei figli da mantenere a casa. Poi i bambini crescono, loro spendono tutti i soldi per farli venire in Italia, e gli schiaffi che non avevano ancora preso dal marito, li prendono dai figli!

Le copro una mano con la mia sperando che si calmi.

Lei guarda le nostre mani sovrapposte, poi alza gli oc-

chi umidi e mi fa una carezza: – Ti sembro una badante,
io? – Ma non aspetta la mia risposta. – Invece, dopo che
il dottore mi ha licenziato all'improvviso, è quello che ho
dovuto fare. Le badanti sono tutte stupide. Donne stupide.
Lavorano quindici, venti anni in Italia, per costruirsi delle
villette orribili al loro Paese. Di cemento, senza luce, in
periferia, col giardino pieno di erbacce, l'orto, i cani che
abbaiano tutta la notte. Sembrano prigioni. Sono donne
che non hanno progetti veri, non vogliono imparare niente. Finché stanno in Italia si riuniscono e parlano solo della
casa che stanno costruendo, e che vanno a vedere d'estate.
Ci vogliono anni a tirarne su una. Anni, e per cosa? Per
fare una villetta brutta dove io non vivrei mai. Oppure
parlano delle famiglie italiane, del vecchio che seguono.
Si lamentano. Dicono che sono vittime. Gli piace essere
vittime. Io non mi sono mai mischiata con loro. Mai. Ho
studiato, sapevo l'italiano anche prima di venire. Ho cercato e ho trovato un lavoro diverso. E dopo potevo fare
tante cose, se il dottore era onesto, se mi pagava il prezzo
giusto e mi metteva in regola. Avevo progetti. Invece mi
ha cacciato, non mi ha dato quello che mi spettava, e sono
finita anch'io a fare la badante, questo mestiere schifoso.

– Ma ora dall'avvocato fa qualcosa di diverso, no?

Lei conferma, inclinando la testa. – Sí, lí non ci sono
vecchi.

No, mi dico. Malgrado tutto è difficile pensare a Lepore
come a un vecchio.

– Quindi è una specie di governante. In una casa cosí
grande serve una persona di fiducia.

L'immagine evocata dal suono di quella parola le piace.
Non so se esistano piú, le governanti, e dubito che Lepore
le abbia mai presentato la questione in termini simili. Mi
pare molto piú plausibile che faccia cose di basso profi-

lo – lavare e stirare camice, passare l'aspirapolvere, rifare letti. La prospettiva però le mette allegria. Sono contenta di averle risollevato l'umore.

– Governante, sí –. Il sorriso però non dura. Si incupisce di nuovo. – Comunque diverso da quello che potevo fare –. Stavolta le vedo lo schizzo di rabbia negli occhi e riesco ad anticipare la manata sul tavolo. Le afferro il braccio e rallento la traiettoria prima che sbatta sulla superficie di metallo.

Lei mi guarda sorpresa.

– Quando è finita con il dottore? – chiedo per distrarla.

Ci pensa un po': – Sette anni.

Sette anni sono tanti. Sette anni fa mi sono iscritta a Medicina andando via da casa. Un'altra vita.

– E ha ottenuto qualcosa, finora?

– Prima dell'avvocato? No. Con il dottore non potevo parlare al telefono. Non rispondeva. Dopo ho deciso di fare la denuncia. Adesso Lepore parla con il suo avvocato e aspettiamo l'udienza –. Poi stringe gli occhi. – Dodici anni ho lavorato. Dodici anni come una serva. Io voglio quello che è mio.

È granitica. Nessun cedimento. Non insisto perché non voglio che riprenda a battere sul tavolo pugni o bicchieri di birra, tanto piú che quello che beve è il quarto.

Guardo l'orologio. Siamo qui da piú di un'ora. Includendo il tempo che ha perso ad aspettare in studio, sono due ore e mezza della sua giornata trascorse senza concludere niente. Manda giú l'ultimo sorso di birra e vuota il bicchiere, lo mette sul tavolino. Non sono sicura che sia in grado di reggersi in piedi.

– Vuole che la accompagni a casa? – le chiedo, pensando che Lepore non si farà piú vedere.

Lei rifiuta. Restiamo in silenzio un paio di minuti. Forse

sarebbe il caso di andare. Però quando alzo gli occhi vedo Lepore superare la porta e venire verso di noi.

La sua sola comparsa trasforma la Jarmolenko in una creatura intimidita. Mi stupisce, considerando la familiarità quotidiana che devono avere in casa. In un contesto ufficiale si fa impressionare. Del resto, anche mentre aspettava in sala d'attesa, dava l'idea di essere in difficoltà.

Lui non si siede, ci osserva accigliato, incombente. Non sembra bendisposto. Nemmeno un accenno di scuse a Larisa per averla fatta aspettare tutto quel tempo.

– Non pensavo di trovarvi ancora qui –. È l'unica cosa che sente il bisogno di dire.

La Jarmolenko lo guarda: – La scadenza di maggio, – mormora.

– L'udienza? Rimandata a ottobre. L'ho saputo stamattina. Avrei potuto dirtelo stasera a casa. Non so che gusto ci provi a venire qui a perdere tempo.

La donna china il capo. – Scusi, – dice. – Non importa. Il tempo si trova.

Lepore non aggiunge altro, la Jarmolenko capisce che il colloquio è finito e si alza a fatica. Saranno tutte quelle birre. Le do una mano a tirarsi in piedi. Raccoglie la giacca, il foulard, la borsa, ma senza indossarli, vuole togliersi di mezzo in fretta. Mi fa un sorriso mortificato e ci lascia soli. Si ferma un attimo accanto alla cassa e comincia a rivestirsi. Stringe il foulard beige intorno al collo, chiude la zip della giacca. Poi carica la borsa sulla spalla sinistra con slancio, come se fosse pesantissima. Infila la porta e se ne va.

La seguo con lo sguardo attraverso la vetrata. Appena prima che svolti l'angolo, un ciclista che corre come un matto sul marciapiede le sbuca davanti. Indossa un'attrezzatura professionale, la tuta nera e azzurra aderentissima, il caschetto allacciato, e gli occhiali da sole a specchio con i riflessi arancioni. Inchioda per non investirla e lei si porta una mano al petto per lo spavento.

Rimangono fermi per qualche secondo, uno di fronte all'altra, ansimando. Poi lei si fa da parte, lentamente. Il ciclista le sfila accanto a un'andatura piú contenuta, scarta il marciapiede e si immette nella ciclabile. Larisa riprende a camminare e sparisce dietro l'angolo.

Solo allora mi accorgo che Lepore si è seduto, e mi sta guardando.

Da qualche tempo mi sembra diverso, piú sottile, come se procedesse velocemente verso qualche forma di disincarnazione dalla materia.

– Lei mi giudica, – dice sorridendo. – È perché non sa. Se nella vita si fosse annoiata a lungo quanto me, saprebbe che le mie motivazioni sono valide come tante altre. Mi concedo qualche diversivo per passare il tempo.

Io non ammicco, nemmeno per educazione. E non abbasso gli occhi.

– È un essere umano, – dico, indicando verso la porta da cui è appena uscita la Jarmolenko, – non una sorta di intrattenimento sociale.

Non è sociale l'aggettivo che ho in mente. È senile. All'ultimo momento però mi manca il coraggio.

– Lo so, – risponde. – Ed è una persona per cui mi impegno, nei limiti delle mie possibilità. Alla fine otterrà quello che vuole, quando sarà il momento. Potrà contare sullo stesso supporto che ha avuto Renata. O tutte le clienti che ha conosciuto in questi mesi. Nel caso di Larisa, metta in conto che lo faccio anche quasi gratis.

– Gratis non direi.

– Perché non sono affettuoso e partecipe mentre seguo la faccenda? O perché non mi intenerisco e non le sorreggo quando si ubriacano? Sarebbe inutile, per loro fa lo stesso. Lei sottovaluta la resistenza delle donne, la loro ostinazione. Una virtú che non finisce mai di stupirmi. L'accanimento con cui inseguono quello che credono di volere senza mai domandarsi se lo vogliono davvero. Una stupidità inossidabile, – conclude.

Si gira, attira l'attenzione del cameriere, e si fa portare un tè.

– La resistenza è un limite? – gli chiedo. – Non è una qualità? Non è l'unico modo per superare una crisi?

– Dipende. In certi casi. Ma solo se durante il tragitto ci facciamo qualche domanda. Altrimenti cos'è che la distingue da un'ossessione? Diventa qualcosa che va oltre l'intento di ottenere un risultato, è semplicemente il desiderio di trascinare un altro in fondo al burrone assieme a noi, per il gusto di distruggere entrambi.

– Le donne non sono tutte uguali, e neppure gli uomini. Io direi che… – esito, lui fa un gesto ampio per invitarmi a procedere, – … direi che ragionare per categorie è sempre scontato. E riduttivo.

– Dice questo perché non ne ha osservate tante da vicino, a differenza di me. Le posso dire una cosa con certezza. Sono sempre le donne che pretendono di piú dalla vita. Hanno il culto ottuso della felicità, della pienezza dell'esistenza.

– E cosa c'è di sbagliato? Gli uomini invece non vogliono essere felici?

– Naturalmente. Ma la felicità di un uomo è proiettata su un orizzonte quotidiano, non metafisico. Una cosa fatta di piccoli punti d'appoggio, di certezze disseminate nel corso della giornata. E se oltre a questo hanno un interesse piú serio, non lo delegano a una relazione. Vanno a prenderselo da soli.

– È la stessa cosa che serve alle donne! Non è sull'appoggio, sulla stabilità che contano? Quella della famiglia, degli affetti, del lavoro?

– Neanche per sogno. La felicità di una donna non è mai quello che c'è. È sempre quello che potrebbe essere. Un tempo al futuro, un ideale cui bisogna tendere. Ma sono d'accordo con lei, non ci sarebbe niente di male, l'ambizione non è un difetto. Il difetto è cercare le cose nel posto sbagliato. Avere desideri per sé, e pretendere che diventino il fine condiviso della relazione. Perlopiú senza chiedere il parere della controparte. E poi si stupiscono se quella non collabora.

Guardo fuori dalla porta da cui è sparita la Jarmolenko.
– Cosa c'entra tutto questo con Larisa? È stata sfruttata per anni. Non aveva sposato quell'uomo, era il suo datore di lavoro.

– Non parlavo di lei, infatti. Quella di Larisa è una storia particolare, ma è un caso piú raro. C'è in effetti uno sfruttatore classico, non ingenuo come un marito medio, che di norma non capisce nemmeno cosa succede fino a quando non è troppo tardi. Lo schema però è identico. Larisa non è stupida, aveva dei soldi da parte quando il rapporto di lavoro si è interrotto – un po' bruscamente, lo ammetto. Avrebbe potuto ricominciare comunque in un posto diverso, presentando una denuncia, se necessario, e se proprio ne vogliamo fare una questione di giustizia. Senza però rinunciare a vivere. Invece ha preferito incatenarsi al passato e investire tutto quello che le restava per rovinarlo. Si è consacrata allo scopo di rimanere l'unica superstite sulle macerie. Le faccio un favore ritardando l'esito della causa, mi creda. Perché, quando avrà ottenuto quello che vuole, non le resterà piú niente da desiderare.

Tutto quello che dice mi sembra al tempo stesso gretto, massimalista, riduttivo e ragionevole. Perfino io l'ho
pensato, mentre Larisa mi raccontava la sua storia. Quelle
manate sul tavolo mi dicevano di un'ossessione morbosa,
un boccone impossibile sia da sputare che da inghiottire.

E se succedesse a me, sarei capace di non farmi inquinare l'esistenza da un insulto cosí grave? È possibile, è giusto, è equo assolvere un carnefice e passare oltre quando
siamo certi di avere subito un'ingiustizia?

Il cameriere porta il tè. Mi chiede se voglio qualcos'altro,
scuoto la testa. Ho lo stomaco contratto. La vicinanza di Lepore è sempre indigesta, perfino fuori dai confini dello studio.

D'improvviso mi ritrovo a pensare che non c'è nessun
motivo per cui dovrei rimanere qui seduta ad ascoltarlo.
Parlare con lui non è mai stato un piacere. E anche oggi
sono saltate fuori almeno due ore di straordinario non calcolate. Ormai all'appello manca un giorno. Non ho tempo
da perdere con le sue stronzate paranoiche.

Mi giro a prendere la borsa e faccio per alzarmi.

Lepore deposita una fetta di limone in fondo alla tazzina e mi guarda mentre metto insieme le mie cose.

– Non vuole sapere invece che tipo di donna è lei? – mi
chiede versandosi il tè.

– Me l'ha già detto, – rispondo secca, – una che si sopravvaluta.

– No, in quel caso mi riferivo a uno stile di comportamento. Quello delle persone rigide che si esprimono per
assoluti: «Io non sono cosí. Non farei mai questo. A me
non potrebbe accadere». Non dice niente sulla sua natura. Si sieda –. Mi sorride.

Rimango con la borsa in mano per un paio di secondi.
Poi l'appoggio di nuovo sulla sedia accanto. – Immagino
che ora mi dirà che dentro di me c'è un'arrampicatrice.

Una persona incapace di ottenere dei risultati con le sue forze e di assumersi una responsabilità. Una che aspetta di trovare un uomo da manipolare.

Lui ridacchia, molto divertito. – Figuriamoci, certo che no. Lei è il tipo opposto. Credo che statisticamente sia un campione piú numeroso, sebbene io ne veda poche. Il mio studio catalizza solo gli esemplari davvero avvelenati.

– Opposto in che senso? – chiedo io.

– Le vergini sacrificali, – mi risponde. E posa con prudenza le labbra sull'orlo della tazza bollente. Poi la appoggia di nuovo sul tavolino. – Quelle che subiscono e che si fanno carico dei peccati degli altri. Molto piú facili da controllare. Assorbono passivamente il condizionamento ambientale, la famiglia, la scuola, la parrocchia, tutto quello che serve a spegnerle, a cancellare ogni libera iniziativa, ogni desiderio di sperimentare, ogni istinto a immaginarsi libere. Poi, se appena si azzardano ad alzare la testa, basta far calare dall'alto un giudizio negativo, o solo minacciare di farlo, e non riescono piú a muovere un passo. Si paralizzano, e diventano marionette radiocomandabili a distanza, anche in assenza del carnefice originario. Basta manipolare la colpa immaginaria che si portano dietro. Guardi lei, per esempio: una ragazza intelligente. Eppure, cosa abbiamo qui? Sette anni di studi stentati, con risultati mediocri, a un passo dall'abbandono, e perché? Perché la mamma ha sabotato la nostra autostima e non ha mai creduto in noi.

Devo fermarlo.

– Lei non può parlarmi cosí. Non mi conosce abbastanza per dire una cosa del genere.

Ma lui ignora e prosegue: – So quello che occorre, che in ogni caso non è molto. È bastata la scena sgradevole cui ho assistito anch'io qualche giorno fa per cancellare mesi di sforzi. Parlo della signora piuttosto aggressiva che sem-

brava avere pessime intenzioni nei suoi confronti fuori dal
mio studio, non può averla dimenticata. Quell'episodio ha
risvegliato il demone del senso di colpa. Lei aveva preso
l'abitudine, magari anche il piacere, di vestire in un certo
modo, no? Ho notato che da allora il suo stile ha subito
una battuta di arresto, diciamo cosí.

Mi guardo. Non porto una gonna oggi, ma un paio di
pantaloni blu, e so di non essere truccata. Stamattina sono
uscita di fretta. Non ho avuto tempo di farci caso e non
ricordo com'ero vestita negli ultimi giorni. Sono cosí concentrata sull'esame da dimenticare tutto il resto.

– È una coincidenza! Oggi andavo di corsa.

– Quindi non è perché si sente a disagio a vestirsi da
donna, come le hanno insegnato a pensare?

Balbetto. – Credo che siano affari miei.

– Non discuto. Se la cosa non le crea problemi, perché
non si confida con sua madre? È una donna adulta, si mantiene da sola, è capace di decidere per sé, può fare quello
che vuole. Dimostri di essere impermeabile al giudizio. Vada
fuori, la chiami e le dica: sono l'amante di un uomo sposato.

Mi manca il respiro. Scatto in piedi, prendo la borsa ed
esco dal bar correndo. Appena arrivo nella mia stanza mi
butto sul letto con la faccia sotto il cuscino. Premo il viso
contro il materasso e sprofondo al centro della Terra. Non
riesco a pensare altro se non che odio quell'uomo. E che
devo trovare a tutti i costi un modo per lasciare l'ufficio.

Ieri ho fatto l'esame.

Un quiz a risposta multipla da quaranta domande in due
ore di fronte al computer. Un massacro. Se l'ho passato,
l'orale fra due settimane sarà poco piú di una formalità.
Serve solo per alzare il voto, se proprio uno ci tiene. Superato lo scritto è fatta.

L'unica nota positiva è che la correzione dei risultati è automatica e l'esito esce oggi, entro le dodici.

È mezzogiorno e un quarto. Ho aperto e chiuso il portatile almeno cinque volte, finora, ma mi è sempre mancato il coraggio.

Ci riprovo ancora, stavolta spero di farcela.

Il link al sistema informatico di gestione del curriculum è sulla barra dei preferiti. Lo clicco, mi autentico, ed entro.

Il mouse schizza ai quattro angoli del monitor. Mi trema la mano. La blocco, la tengo ferma e la sposto lentamente fino ad arrivare al pulsante che dice: «Esiti delle prove sostenute».

Clicco. Un solo risultato in attesa.

Chiudo gli occhi. Respiro. Li riapro e leggo.

«Fisiologia. Prova scritta sostenuta il 20 aprile. Esito: ventotto».

L'incredulità dura un paio di secondi. Poi dal centro del petto parte una sferzata di gioia che si allarga come un fuoco d'artificio. Mi formicolano le mani. Sento il carrozzone scricchiolante della mia vita che si stacca dal fango e si rimette in moto. Esco da un coma vigile, da uno stato di paralisi senza orizzonte. Il segnale che aspettavo.

Scatto in piedi spingendo via la sedia. L'entusiasmo mi catapulta al centro della stanza. Mi metto a vorticare a braccia spalancate.

E proprio in quel momento si affaccia un pensiero, un grumo di detriti che oscilla in bilico sullo specchio d'acqua della mia allegria e poi frana con un tonfo, si espande, e satura di pece ogni spazio mentale disponibile.

C'è un unico motivo per cui ho ottenuto questo risultato. Il mio lavoro, e le opportunità che mi concede. Non posso andarmene, ho troppo da perdere. Sono diventata anch'io una prigioniera di Ludovico Lepore.

Primavera 1960.

Intorno alla metà di aprile Guido va a cercare Ludovico sotto casa. Ludovico apre la finestra e lo vede appoggiato con indolenza a un pilastro dell'ingresso. Anche Guido si accorge della sua presenza, e si allontana di qualche passo mettendosi in mezzo alla carreggiata, spavaldo, pugni sui fianchi.

– Scendi! – dice.

Ludovico si sforza di contenere l'emozione. Non è mai stato il tipo d'uomo che pratica l'ottimismo, e la presenza di Guido lo coglie davvero alla sprovvista. Aveva quasi perso la speranza, lo sente come un premio. Si dice che se Guido torna è perché lui è stato capace di resistere. L'amicizia è salva.

Scende le scale di corsa infilandosi una camicia ed esce in strada. Ma quando raggiunge l'amico si accorge che non è solo.

C'è una donna con lui.

Ludovico la conosce vagamente. Si chiama Flavia, e Guido gliela presenta come la sua fidanzata. Poi gli consegna l'invito alla piccola cerimonia in famiglia per consacrare l'evento.

Ludovico prende la busta e non dice niente. Lei si mette a chiacchierare a ruota libera.

– Parla molto spesso di te, – gli dice con un cenno d'intesa. E continua ad affastellare scontate banalità per riempire il silenzio, senza mai sfilare la sua mano dal gomito di Guido.

È identica alle altre donne nubili che inflazionano l'ambiente, pensa Ludovico. Adesso ha un anello al dito, e questo la autorizza a esprimere un possesso da certificare in pubblico, come se avesse stampato sulla fronte di Guido un marchio in ceralacca con le sue iniziali.

L'unica nota fuori posto è il modo in cui Guido lo guarda, sardonico. Ammesso che Ludovico abbia avuto qualche dubbio in passato, ora è sicuro. È una farsa, una messa in scena a suo esclusivo beneficio. Guido vuole stanarlo, e ci tiene a fargli sapere che, se davvero ha intenzione di rimanere fuori portata, il prossimo passo potrebbe essere quello definitivo.

Ludovico tiene duro. Prima o poi Guido dovrà tornare sui suoi passi. Ma vuole che sia chiaro che l'unica cosa che possono condividere rimane l'amicizia, quella che hanno sempre avuto. Se Guido ha deciso di sposarsi per il gusto di provocare, faccia pure. Ludovico non ha intenzione di supplicarlo. Conosce il significato che l'amico assegnerebbe al tentativo di separarlo da quella donna, e non intende dargliela vinta. È quasi certo che Guido non avrà il coraggio di andare fino in fondo.

La festa in giardino è fissata per la fine di maggio. Guido ne parla in giro come di un piccolo ritrovo, ma molto prima del giorno stabilito Ludovico scopre che non è cosí. Gli invitati sono molti, e l'eco della vicenda riverbera in città, amplificato.

Ludovico, che non l'aveva presa sul serio, comincia a sospettare che si tratti davvero di un impegno formale. Quando la sera arriva, tutto è molto piú grandioso di quanto avesse creduto.

Sta succedendo davvero. Ludovico si fa prendere dal panico. Rimettere in discussione la sua linea di condotta ormai è impossibile.

Resiste meno di un'ora aggirandosi in mezzo alla gente, poi sceglie di andare via. Guido lo sorveglia da lontano, lo affianca e poi lo afferra per un braccio bruscamente. Lo porta all'ombra di un tiglio che allunga la chioma oltre il muro di cinta del giardino. Non ci sono luci in quell'angolo.

– Dove vai? – gli chiede strafottente. – Non ti diverti? È pieno di ragazze bellissime, qualcuna perfino piuttosto intelligente, di quelle che piacciono a te. Se non fossi cosí concentrato sulle tue pose tragiche ti accorgeresti che vale la pena restare. Sembri Werther, ma piú ridicolo.

Ludovico si divincola.

– Che cosa ti cambia se vado o se resto? Non hai già deciso?

– Io posso decidere qualsiasi cosa, e cambiare idea il momento dopo, se ne ho voglia. Dipende dalle alternative. Tu cosa mi offri?

Ludovico è rabbioso. Gli si avvicina a un centimetro dal viso, ha bisogno di spostare il confronto sul piano dell'aggressività.

– Cosa cerchi di fare? Cosa vuoi da me? Vuoi sposare quell'idiota? Fallo! – urla spalancando le braccia. Che si fotta, il maledetto. Che si rovini con le sue mani.

Guido risponde a bassa voce. La furia di Ludovico non lo contagia.

– Come ti ho appena detto, nessuna decisione è definitiva. Specie se la smettiamo di raccontarci stronzate.

– Ma ti rendi conto di cosa stai dicendo? Di cosa mi stai... – gli manca la parola, il verbo, l'oggetto impensabile dell'allusione. Brancola. – Capisci cosa mi stai proponendo?

– Sí, io sí, – risponde l'altro con naturalezza. – Dall'estate scorsa. Non sono lento come te. O prevedibile. O al limite vigliacco.

Ludovico lo spintona e si gira per andarsene. Guido lo afferra di nuovo per il braccio, lo costringe a voltarsi.

– Vuoi che finisca cosí?

E ancora non c'è rabbia nelle sue parole. E Dio solo sa se Ludovico non vorrebbe che fosse diverso, perché cosí trova impossibile difendersi. Invece nella voce di Guido c'è una sorta di tenerezza dolente, come se temesse di fallire il tentativo estremo per portare dal buio alla luce il vuoto sospeso tra loro.

– Perché è l'ultima volta che te lo chiedo. Non voglio importi niente. Dico solo che sarebbe un peccato. Qual è il motivo per mentire su quello che desideriamo? Perché dobbiamo rinunciare?

Ludovico è svuotato. Non ha piú forze. Sono mesi che combatte come un forsennato contro sé stesso. Sulla scia della rabbia forse avrebbe potuto cavarsela. Se l'amico l'avesse aggredito, umiliato, insultato, avrebbe ancora potuto salvarsi. Ma Guido, l'altra metà della sua anima, è quieto e rispettoso, perfino protettivo, e lascia che sia lui a scegliere.

Prova un'ultima obiezione scontata, con la forza della disperazione.

– Ti sono sempre piaciute le donne. Molto piú di quanto piacciano a me.

– Allora? Non voglio mica negarlo.

– Io non capisco.

– E io invece non rinuncio, soprattutto sulla base di un precetto morale. Quello che desidero, lo accolgo senza farmi domande. Tu poi non saresti il primo.

Ludovico non è certo di avere capito.

– Come?

– E nemmeno il secondo.

– Non mi hai mai raccontato niente!

Guido fa una smorfia. – Perché, avresti approvato? E comunque l'ho fatto, invece. Ti ho sempre detto tutto. Certe volte ti facevo credere che fossero donne. Non era sempre vero. L'avresti capito anche da solo, se mi avessi ascoltato con attenzione.

– Secondo te è una cosa che avrei potuto intuire? Perché non me l'hai detto chiaramente?

– Perché te lo sto dicendo ora e sembri un cadavere ripescato dall'acqua. E hai avuto molto tempo per cominciare a elaborare il concetto. Immagina se te l'avessi raccontato anni fa.

Ludovico si mette a camminare avanti e indietro. È tutto troppo veloce, inconcepibile. Questo è il fratello con cui è cresciuto. Come può avere ignorato qualunque indizio?

Dal fondo del giardino una voce femminile richiama Guido. Lui si volta infastidito. – Arrivo. Un minuto –. Poi guarda di nuovo Ludovico. Gli sorride. – Devo andare. Penserai a quello che ti ho detto? Oppure continuerai a scappare?

Ludovico considera seriamente l'ipotesi della rottura definitiva, e quest'idea gli apre il petto. Deve esserci una conciliazione, per quanto disastrose siano le premesse, perché lui e Guido restino quello che sono sempre stati l'uno per l'altro.

– Stasera, – dice Guido, camminando all'indietro mentre si allontana verso la veranda. – A mezzanotte mando fuori tutti. Aspetta mezz'ora, poi entra dalla finestra, come hai sempre fatto.

Ludovico rimane a guardarlo mentre si fa risucchiare dai

festeggiamenti, cosí straordinariamente a suo agio in mezzo alla folla degli ospiti. Poi esce dalla villa. Appena fuori, appoggia una mano al muro di cinta e si mette a piangere.

Non ci sono vie d'uscita. Che resti, che scappi, che rinunci o che ceda, l'amicizia è compromessa, lo sa. Da una cosa simile non si esce vivi.

Due settimane dopo, quando ormai la confidenza dei corpi ha cambiato l'orbita del loro legame, Ludovico ripensa ai giorni tremendi del dubbio e del rifiuto e ride di sé.

Guido ha ragione ad accusarlo di amare le pose tragiche. Se non l'avesse fatta tanto lunga, se non avesse passato un anno a tormentarsi, avrebbe potuto evitare quello strazio.

Guido dorme al suo fianco, sprofondato in un sonno di piombo come sempre. Il sole s'è appena alzato e tra qualche minuto sarà bene che Ludovico si vesta e vada.

Non che ci sia nulla di cui preoccuparsi. La stanza è chiusa a chiave e nessuno può entrare all'improvviso. E se per ipotesi qualche cameriera lo vedesse scivolare fuori dalla finestra, non si stupirebbe di nulla. È successo decine di volte, non sarebbe niente di diverso da quello che è stato in passato. Hanno dormito spesso insieme dall'età di otto o nove anni in poi. A casa dell'uno o dell'altro sono abituati a vederli sgusciare all'interno passando dalle finestre dopo mezzanotte, perché hanno sempre avuto il gusto di ritrovarsi tardi e raccontarsi la giornata prima di andare a dormire. A volte tornando nel proprio letto, altre restando insieme per mancanza di energie residue.

Soprattutto questo lo sorprende. Perché è stato cosí riluttante? Le cose per loro saranno incredibilmente facili. Nessuno si è mai stupito di vederli insieme, non c'è motivo per cui debbano iniziare ora.

È come se tutta la loro esistenza fosse stata una lunga,

inconsapevole preparazione a quel momento. Una sottile cortina di fumo funzionale a nasconderli.

L'ha capito all'istante, fin dalla prima sera, dopo i festeggiamenti, mentre entrava in casa, e Guido lo aspettava dietro le tende.

Il primo bacio – quello di Volterra non conta, c'era ancora troppa strada da fare – ha metabolizzato ogni cosa. Vent'anni di amicizia virile trascorsi senza un'ombra subiscono una metamorfosi e diventano un corteggiamento infinito in cui tutto acquista senso.

Ludovico rievoca minuscoli segnali cosí ben occultati da essersi quasi disciolti nella consuetudine del loro tempo comune. Richiama le forme del desiderio che ha provato, cui aveva dato un altro nome per evitare di riconoscerlo, e si accorge di avere accumulato una fame inestinguibile.

Malgrado i sogni che ha fatto, niente lo prepara all'emozione del contatto reale con il corpo di Guido. Toccare per goderlo, dimenticando il caldo afoso, senza allentare la presa a nessun costo, unico possibile appiglio per scampare a un naufragio.

La gratitudine lo sommerge.

Le donne che ha avuto in passato l'avevano quasi convinto che l'amore fisico fosse qualcosa che non faceva per lui – nelle sue pose da filosofo in fondo ci pensava perfino come a una rinuncia che gli si addiceva – ma in profondità avvertiva una colpa, una lacuna nella sua natura di uomo.

Le ricorda armeggiare col suo sesso, in macchina, quasi tutte goffe, frettolose o imbarazzate. Ripensa a certe erezioni cui si è prestato come un dovere da compiere, allontanandosi con la fantasia dagli scenari squallidi sotto i suoi occhi, che non avrebbero mai potuto generare una vera eccitazione. Una fatica enorme, che aveva finito per identificare con il sesso in sé.

È liberatorio poter finalmente scegliere quello che vuole, usare parole che corrispondono a desideri reali invece delle manfrine impiastrate di zucchero cui ha dovuto piegarsi finora per ottenere un risultato. Uno sforzo sovrumano e inutile.

Capisce cosa significa desiderare, commutare la fantasia in atto, riversarla sul corpo, integrarla nelle percezioni. E gli si rivela il senso dell'ossessione, l'esigenza della pelle.

Lo appaga il vigore delle fasce muscolari tese sotto le sue mani, le venature dei tendini affilati al posto della carne morbida che affonda, e che è l'unica pratica di un corpo diverso dal suo che ha fatto fino a quel momento.

È un impulso violento, una colluttazione. Ludovico è dominato dall'ossessione di sperimentare, stringere e mordere, mettere alla prova il vigore del corpo che fa male, fa bene, si contrae, si contorce.

Ogni tanto, quando il sesso finisce, è talmente gravoso trascendere l'intensità e far tornare il cuore a un battito regolare, che preferiscono rimanere svegli. Tirano giú dallo scaffale il *Simposio* e si rileggono a voce alta qualche brano a vicenda. L'hanno fatto fino alla nausea già dai tempi del liceo, ma stavolta è diverso. Non è piú un concetto, ora è diventato un'esperienza. Tutto è cosí chiaro: l'amore completo fra due individui adulti non può che essere questo.

La sera stessa del primo incontro l'efebo di Volterra trasloca, e dalla mensola accanto all'ingresso arriva alla camera di Guido. È Ludovico a chiederlo. Lo pensa come un oggetto psichico proiettato nel bronzo. Gli è grato per essersi fatto carico dell'ombra che pesava su di loro. Vuole che sia presente il piú possibile.

Guido lo accontenta. Si infila i pantaloni del pigiama e va a recuperarlo. Lo porta a letto e lo distende fra loro.

Rimane lí per un po', mentre chiacchierano, poi Ludovico
lo appoggia sul comodino.

Quando esce, Ludovico lo chiede per sé.

– Hai fatto tutte quelle storie. Nemmeno ti piaceva.
L'ho comprato solo per infastidirti, – gli risponde Guido.

– Non farmelo pesare. Sai benissimo perché, e ti ho
detto che ho cambiato idea. E poi se l'hai preso per innervosirmi è un altro modo per dire che era per me, no?
Allora dammelo.

Guido sorride. Ludovico è già in piedi, vestito, pronto
a uscire. L'amico glielo porge, ma lo trattiene ancora un
attimo nelle mani.

– Trattalo con rispetto, – dice.

Ludovico annuisce.

– Da me avrà sempre tutto quello che merita.

Poi scavalca il davanzale con l'efebo in mano come se
impugnasse un'arma.

Arrivato a casa entra in camera sua e si guarda intorno
con attenzione. Vuole per l'efebo una collocazione degna.

Il posto ideale gli pare il cassettone. Quando lo appoggia lí sopra, tra due file di libri, il mobile diventa un altare. Da lassú l'efebo domina il letto che ha di fronte, e
impartisce la sua benedizione sugli amanti.

Da quel momento in poi, ogni volta che Guido e Ludovico sono in quella stanza, ogni abbraccio si converte in
un rito alla luce del suo sguardo astratto e senza emozione.

Sono giorni assoluti, una scheggia di luce che brucia tutta l'estate. È cosí che si imprime nel ricordo di Ludovico.
Questo è il tempo in cui finalmente può coincidere con la
sua natura ed essere felice. Sarà cosí anche per il resto della vita, lo sente. Non ha bisogno di altro. La gioia satura
ogni cellula e annichilisce le preoccupazioni per il futuro.

Guido non gli parla mai della fidanzata. Ludovico immagina che abbia bisogno di tempo per decidere come agire, possibilmente allontanarsi. In fondo però nessuna prospettiva lo spaventa davvero. A questa altezza della loro storia, anche l'ipotesi che Guido si sposi non gli crea difficoltà.

Certo, sa che questo li costringerebbe a ripensare i tempi dei loro incontri, ma è secondario. Lei non conta quasi niente per Guido, mentre lui conta moltissimo, e fino a quando la gerarchia viene rispettata, il resto è irrilevante.

Però, quando a settembre scopre dalla famiglia di lui che è stata fissata la data delle nozze, prova una fitta di dispiacere.

– Perché non me ne hai parlato tu? – chiede a Guido, che è venuto a trovarlo. Ma l'altro liquida la faccenda come se non avesse nessun peso, e questo lo tranquillizza.

L'unico aspetto che lo preoccupa è la fretta. Guido sta ancora studiando, che bisogno c'è di affrettare le cose?

– Lo so, avremmo potuto rimandare di qualche anno, almeno dopo la laurea. In ogni caso possiamo stare qui, non ho nessuna voglia di mettermi a cercare casa.

– E allora perché lo fate?

Guido lo guarda con disapprovazione.

– Non fare domande idiote, puoi arrivarci da solo. Flavia è incinta.

È la prima avvisaglia. Eppure non c'è niente di strano. Guido gli ha sempre fatto capire che il sesso fra loro non è esclusivo, che le donne continuano a piacergli, e Flavia è la sua fidanzata.

Ludovico fa una smorfia cattiva. – Mia madre dice che la vede spesso entrare in chiesa a capo coperto. È molto pia, o almeno cosí ho sentito dire.

Guido non la prende a male e sorride. – Lo è, credimi.
Ho dovuto insistere.

– E che bisogno avevi?

L'altro non risponde. Gli si avvicina.

Ludovico è in piedi, gli dà le spalle e guarda fuori. Guido fa una cosa inconsueta. Lo abbraccia da dietro, strin-
gendogli il petto e serrando le mani all'altezza del cuore,
come volesse fargli sputare un boccone andato di traverso.
Affonda il viso nello spazio fra il mento e il collo di Ludovico. Tra loro la tenerezza non manca mai, però è raro
che sia cosí trasparente.

– Sei arrabbiato, – dice. Non è una domanda.

– No. Forse. Sarà tutto piú complicato.

– Ti fai sempre troppi problemi. Abbiamo casa tua,
siamo quasi sempre qui, no? Oppure possiamo andare da
qualsiasi altra parte.

– Lo so. Ma era necessario?

Guido si scioglie dall'abbraccio.

– Sei l'unica persona che conosco che in casi come questi riesce a parlare di necessità. Non lo so se era necessario, non mi sono posto il problema. Ne avevo voglia e l'ho
fatto. È successo. Io non vedo il senso di prevedere ogni
singola mossa come te.

C'è la sua caparbia volontà di non farsi domande, di
agire in maniera sconsiderata, che in fondo è quello che
Ludovico ama di lui. Una delle tante cose che ama di lui.
Non può prendersela per questo. Si gira, lo abbraccia, e
archiviano l'episodio.

All'alba Guido se ne va senza svegliarlo, convinto che
Ludovico dorma ancora, invece si sbaglia. Sdraiato su un
fianco, lui non ha chiuso occhio. Quando resta solo nella
stanza si volta a pancia in su e mette le mani dietro la testa. L'efebo è alto, di fronte a lui.

– Dici che dobbiamo credergli? – domanda.

Un refolo di vento sposta la tenda, e il chiarore opaco dell'alba si infiltra dalla finestra rimasta aperta. Sul corpo sottile della statuina si disegna il riverbero di un movimento. Sembra quasi che voglia scendere dal suo altare ligneo.

– Dove vorresti andare? – chiede Ludovico. – Vuoi inseguirlo?

L'alito d'aria si spegne, la tenda torna immobile, l'efebo viene riassorbito dalla penombra.

10.

Lo studio riapre oggi, dopo tre giorni di chiusura per il ponte del 25 aprile.

Lepore è già qui. Appena arrivo esce dalla sua stanza e mi viene incontro. È quasi una settimana che non lo vedo, ma non posso fingere di avere dimenticato il nostro ultimo incontro al bar.

Mi spiazza subito.

– Ho una proposta da farle, – dice senza preamboli.

E nel frattempo vedo che controlla il mio abbigliamento. Continua a cercare conferme alle sue teorie.

Me lo aspettavo. Perché aveva ragione lui e senza accorgermene in questi ultimi tempi avevo ripreso le vecchie abitudini. Pensavo dipendesse dalla fretta, dallo stress prima dell'esame. Ma non era solo questo. Dopo quello che mi ha detto mi sono fermata a riflettere. Ho capito che c'era una certa riluttanza di cui ero inconsapevole. Stamattina vestirmi è stata una tortura. Non c'era piú gioia, nessun divertimento, solo la percezione del ridicolo, e una sfumatura di imbarazzo. L'unico motivo per cui l'ho fatto è stato non dargli soddisfazione.

Lui guarda l'orologio. – Ho un appuntamento in centro alle dieci, mi libero dopo pranzo. Non vada a casa, la chiamo piú tardi per dirle dove trovarmi. Credo che sia arrivato il momento di cercarle un'altra sistemazione –. E se ne va.

Piombo sulla sedia a corpo morto. Non vado ad aprire le finestre e non accendo il computer, cerco solo di assimilare le sue parole.

«Mi manda via», penso. È l'unica spiegazione plausibile.

«Ho esagerato al bar».

Chissà cosa speravo di dimostrare, e a chi. Come se avessi il potere di fargli cambiare idea.

È fatto cosí, e lo sapevo fin dall'inizio. Avrei dovuto preoccuparmi di non innervosirlo, semmai, e restare qui a tutti i costi per avere la possibilità di continuare a studiare.

Quando mezz'ora dopo arriva la Callegari sono ancora lí, seduta nella stessa posizione.

Mi passa accanto velocemente, col cellulare all'orecchio. A malapena si accorge che ci sono.

Potrei chiederle se sa qualcosa delle intenzioni di Lepore. Sono cosí disperata che considero la possibilità di raccontarle tutto, e domandarle aiuto. Ma me lo tolgo subito dalla testa. La Callegari non può aiutarmi e, se potesse, sono quasi certa che non lo farebbe.

Valuto tutte le alternative e, anche se la cosa mi ripugna, decido che l'unica speranza che mi rimane è chiedere scusa. È un uomo cosí umorale e infantile che forse, se mi mostro pentita, riuscirò a gratificare il suo senso di onnipotenza. Posso solo sperare che lo appaghi l'idea di esercitare un gesto di grazia, e che si accontenti di un atto formale di sottomissione.

Due minuti dopo la Callegari mi chiama, e poi lo fa altre cento volte nel corso della mattinata. Mi consegna fascicoli da sistemare, mi incarica di diverse telefonate per fissare oppure disdire appuntamenti, mi spedisce in archivio a tirare fuori pratiche vecchissime. Non mi dà un attimo di respiro.

Quando le lascio i documenti che ho portato in giro a firmare la settimana scorsa apre la cartella e tira fuori le carte, si toglie gli occhiali, e me le piazza sotto il naso: – Cos'è questa roba? – domanda.

Prendo il blocco, lo sfoglio. Non riesco a focalizzare niente, mi pare di avere la testa piena di fumo. – I documenti dello studio Marazzita? – domando esitante, a bassa voce.

– Questa è la pratica della Tecnica Serramenti che ti ho dato da archiviare due ore fa. Archiviare e ordinare, – sottolinea. – Invece non è archiviata, visto che è qui, ed è ancora un casino. Cos'hai stamattina?

– Niente, – rispondo, – mi sono confusa.

– Sono gli esami a ridurti cosí? Quanto dura ancora questa sessione?

Potrebbe sembrare una specie di interesse nei miei riguardi. Ma la conosco, non è questo. L'unica cosa che vuole è che non ci siano fonti di disturbo nelle mie prestazioni.

– Non molto, – le rispondo.

E comunque è probabile che a partire da domani io non lavori piú qui, quindi i miei esami cessano di essere un problema suo e tornano a essere una questione che riguarda solo me. Lo penso, e non lo dico. E d'improvviso mi colpisce la consapevolezza che non lo faccio quasi mai.

«Perché? Perché sto sempre zitta?»

Non lo so. Forse la mia opinione non mi sembra rilevante. O magari perché il fatto di averci provato, meno di una settimana fa, mi costerà il posto di lavoro.

La Callegari non commenta. Si rimette gli occhiali e si gira verso il monitor del portatile. È il sistema a basso risparmio energetico che usa per dirmi che mi sta congedando.

All'una e trenta Lepore non ha ancora chiamato. La Callegari esce dall'archivio in tenuta da runner. Si infila gli occhiali da sole. – Sono fuori per un'ora, – dice aprendo la porta. – Dopo non ti trovo, immagino.

Resto imbambolata, cerco subito il doppio senso. Lepore le ha detto che vuole mandarmi via? Sta alludendo al fatto che domani non avrò nessun motivo per tornare qui?

– Rosita, santo Dio, fatti un caffè! – sbotta la Callegari. – Oggi hai dei tempi di reazione azzerati! È una domanda semplice. Non c'è bisogno che mi guardi con la bocca spalancata senza articolare un monosillabo –. Ma il mio monosillabo non deve essere cosí importante per lei, dal momento che non si ferma ad aspettare che arrivi e se ne va.

Io ricado nello stato catatonico in cui ero precipitata all'inizio della mattinata. Ci resto per una decina di minuti, fino a quando non squilla il cellulare.

Mia madre.

C'è qualcosa di prevedibile, forse perfino equo, nel fatto che mi chiami ora. Lei presenzia sempre ai miei momenti di desolazione. Mi manca la forza per sottrarmi.

– Ciao, – rispondo. E dentro di me prego: «Dimmi che è solo una chiamata di routine. Che non c'è nessuna disgrazia di cui devo ascoltare il resoconto, che non ho niente da giustificare, nessun debito da saldare con gli interessi».

– Ti ha chiamato? – chiede con una vena di ingordigia nella voce.

– Chi?

– Non vuoi dirmelo. Ma non importa. Tanto me l'ha detto lui.

– Mi dici di chi parli, per favore? Aspetto una chiamata di lavoro.

– Rocco. Passa da te oggi pomeriggio. Ha un impegno a Padova, ma si libera presto.

Non mi parlava piú di Rocco da mesi, dal giorno in cui mi aveva accusata di essere una zotica ignorante per la ri-

trosia a mostrare la dovuta gratitudine. Di cosa avrei dovuto essere grata, non so. Quello che mia madre mi aveva
raccontato era solo un prodotto della sua fantasia.

Siccome la conosco, mi sono insospettita. Ho provato a sondare la situazione mandando qualche messaggio a
certe vecchie compagne di scuola imparentate con Rocco,
che potevano indagare senza che lui lo venisse a sapere.
Ho scoperto che non aveva mai avuto nessuna intenzione di venire a Padova per scoprire se ero viva o morta. Si
era limitato a parlare con mia madre, senza sbilanciarsi,
dicendole che, se proprio non avesse avuto mie notizie a
breve, avrebbe fatto un salto. Era un modo per scaricar-
la. Scommetto che se lei avesse provato a richiamare non
avrebbe neppure risposto. Si vede che l'idea di mettermi
le mani addosso è incentivante quando siamo in paese,
perché lí non deve fare sforzi per raggiungermi. Se invece
deve coprire i quaranta chilometri di distanza che separano Vicenza da Padova, allora non vale la pena affrontare
la trasferta.

Adesso quindi mi tocca un nuovo intervento di screma-
tura della verità, facendomi largo nella savana delle proie-
zioni di mia madre, per distinguere il modo in cui stanno
le cose da come lei vorrebbe che fossero.

– Ti ha detto queste precise parole? Viene qui a Padova
oggi pomeriggio e vuole vedermi?

– Esatto. Ti doveva chiamare stamattina. Mi ha detto
che faceva uno squillo per l'ora di pranzo. Avrà avuto un
problema. Chiamalo tu. Cosí vi mettete d'accordo.

– Non posso, sono impegnata. Ho un appuntamento
con l'avvocato.

– Per che ora?

– Non lo so esattamente. Anche lui deve chiamare per
fissare. Potrebbe telefonare da un momento all'altro.

– Ma non puoi chiamarlo tu, e chiedere a che ora ti liberi?

– No, non posso. Adesso potrebbe essere dovunque, anche in udienza.

– Ma è un peccato, chissà quanto ci vorrà prima che ricapiti!

Perché discutere con lei deve essere sempre come nuotare in una piscina di melassa? Mi trascina a fondo ogni volta che parliamo, e non so come fa.

Mi sale una vampata di esasperazione dalla base della colonna vertebrale fino al centro esatto del cervello. La interrompo mentre parla: – Ho detto di no. Oggi ho da fare.

Lei boccheggia a metà della frase. Cala il gelo. Mette in scena il suo silenzio indignato che pesa e taglia. Ma perché funzioni ha bisogno del mio senso di impotenza. Che stavolta però non collabora.

– Aspetto una chiamata importante. Devo attaccare.

– Allora telefonagli per avvisare che è inutile aspettarti. Come minimo la buona educazione, – dice.

– Lui voleva chiamarmi senza nessun preavviso e non ha fatto nemmeno quello. E ora devo telefonargli io, per disdire un impegno che non ho preso?

– Cosa c'entra? L'aveva detto a me.

– Perfetto. Allora chiamalo tu, e vedete di chiarirvi voi due.

All'inizio non riesco a vederlo.

La stazione non è mai particolarmente affollata a quest'ora, ma è appena arrivato un Frecciarossa da Milano e ci sono una trentina di persone che scendono e attraversano il salone centrale. Mi ha dato appuntamento qui. Ha detto che l'avrei trovato seduto sulle panchine lungo il binario uno, che non sono molte. Deve prendere un treno per Bologna dove ha un'udienza alle quattro, e non ha tempo di ripassare in studio.

Alla fine lo vedo. È solo.

Lo osservo da dietro mentre lui non può vedermi. La schiena è rigida, le spalle larghe, il petto in fuori anche adesso che è seduto. Tiene il mondo a distanza, come se fosse una creatura al di sopra delle regole, fa cosí perfino quando crede che nessuno lo guardi.

Gli sfila davanti una famiglia di quattro persone. I genitori parlano fra loro animatamente, e due ragazzini si spintonano ridendo e passando a slalom fra la gente. Senza volere fanno volare via un foglio in cima all'incartamento che Lepore tiene sulle ginocchia. I genitori, presi dalla conversazione, non se ne accorgono. I ragazzini sono già dieci metri avanti. Se Lepore fa una smorfia di disappunto non lo so, da dietro non riesco a vederlo in faccia.

Nel momento in cui si china per raccogliere il foglio si vede bene che sta facendo uno sforzo. Si contrae, fa un paio di tentativi a vuoto senza riuscire a piegarsi fino al pavimento. Poi allunga la mano destra con cautela, mentre con la sinistra si preme la spalla per sostenerla. Alla fine riesce ad afferrarlo e lo tira su a fatica.

Mi colpisce, è una stranezza. Non fa mai cose da vecchio, i suoi movimenti sono fluidi, come se le articolazioni e le giunture avessero l'elasticità di un uomo molto piú giovane. Però adesso è diverso. Provo un moto di tenerezza di cui mi pento subito. La tenerezza mi pare un sentimento pericolosissimo da praticare in prossimità di Lepore. La scaccio e mi avvicino.

Quando mi riconosce toglie il giornale piegato dalla sedia accanto a lui e mi invita a sedere. Guarda dritto di fronte a sé, sul lato opposto del binario oltre le rotaie, dove c'è una panchina occupata da un senzatetto che dorme.

Lo conosco, in pratica vive qui. A volte lo si incrocia anche in centro a chiedere l'elemosina, ma è raro. Non dà problemi, non disturba mai nessuno. Una coppia di poliziotti gli passa vicino senza vederlo. Fa parte del panorama della stazione.

– Lo sto osservando da un po', – mi dice indicandolo, – non è la prima volta che lo vedo. Ho la strana impressione che mi somigli.

Sdraiato com'è, con la testa coperta dal cappuccio sporco della felpa, è impossibile vedere l'uomo in faccia. L'età e la corporatura potrebbero essere le stesse di Lepore. Forse anche l'altezza. Tutti e due hanno gli occhi azzurri, di questo sono sicura. Lepore però ha uno sguardo impassibile, da cui non entra e non esce nulla. Quello del barbone invece è senza filtri, acquoso, sempre in bilico sulle lacrime.

D'improvviso l'uomo si scuote, forse ha fatto un brutto sogno, e si sveglia. Si solleva a sedere a fatica e si sfrega gli occhi con il palmo delle mani sudice. Poi si alza lentamente in piedi. Gli cadono di dosso una busta di plastica vuota, due o tre fazzoletti sporchi e accartocciati, e una lattina di birra che non raccoglie. La lattina, che sembra pesante e piena, rotola fino al ciglio del binario e cade sulle rotaie. Lui si gira, attratto dal rumore. Si guarda intorno. Considera l'ipotesi di scendere a raccoglierla. Un controllore capisce le sue intenzioni e lo anticipa. Con modi gentili e fermi lo richiama indietro, gli parla con calma.

– Un uomo senza nessuna forma di sostentamento regolare. Malvestito, malnutrito, privo di qualunque accesso alle cure sanitarie elementari. E magari vivrà piú di me, – dice Lepore.

Il controllore ha preso il barbone delicatamente sotto il gomito e lo sta accompagnando alla scala che scende nella galleria di collegamento dei binari. L'uomo è silenzioso.

Struscia i piedi. Ascolta con attenzione il controllore che
gli parla.

– Un minuto fa si stava calando sui binari per recuperare una lattina. Direi che tra voi due quello che corre meno rischi sia lei, – rispondo. Chissà se è un bene che oggi
sia malinconico e si faccia domande esistenziali. Magari
lo rendono piú malleabile.

– Il mio treno parte tra venti minuti, – dice, – venia-
mo a noi.

Inspiro. Devo farlo ora, o mi mancherà il coraggio.

– Se non le dispiace, prima vorrei dirle una cosa.

Lui non dimostra nessuna benevola curiosità, ma mi
consente di parlare.

– Non dovevo risponderle in quel modo. Avrei dovuto stare zitta, al bar, la settimana scorsa. Le ho mancato
di rispetto.

Quella scintilla di interesse che avevo visto un attimo
fa si spegne subito come il led di un monitor.

– Lasci stare, – mi ferma. – Il suo rispetto per me non
significa niente.

Ingoio la frustrazione e insisto. – Forse non riesco a
spiegarle quanto le sono grata.

Guarda di fronte a sé, annoiato. Nulla di quello che dico lo rianima.

– Non ho nessuna intenzione di cacciarla via, se la cosa
la preoccupa. Perché è per questo che sta pietendo il mio
perdono, no? Ha paura che la mandi a casa.

Faccio un respiro pieno, forse per la prima volta da stamattina. Però non sono ancora sicura di potermi fidare.

Lui continua. – Sto solo considerando l'ipotesi di tra-
sferirla. Dovrebbe essere contenta. Non sarà difficile, ho
già in mente un paio di colleghi, e ormai si è fatta qualche
esperienza di uffici legali. Le offrirebbero lo stesso tratta-

mento che ha ricevuto finora, senza il dispiacere di avere a che fare con me.

Le sue rassicurazioni mi inquietano invece di calmarmi. Sta pensando a qualcosa, lo vedo dal modo in cui centellina le informazioni. Tra una frase e l'altra mi lascia il tempo di immaginare ogni possibile scenario, soprattutto i peggiori.

– Posso chiederle perché? Non è soddisfatto del mio lavoro?

– Non è questo. Lo svolge dignitosamente, del resto al posto suo potrebbe riuscirci anche una scimmia ammaestrata. Però siamo arrivati alla naturale scadenza delle cose. Quindi le faccio una proposta, – e si gira a guardarmi. – Ha la faccia di una donna che si aspetta di essere oggetto di molestie sessuali, qui, in mezzo alla stazione, – mi dice.

Ripenso ai sospetti di Dina.

– Al solito, lei è trasparente, sembra una bambina, – continua lui. – Si tranquillizzi. Ho settantasei anni, il sesso non mi interessa piú da moltissimo tempo e, se anche non fosse cosí, non mi rivolgerei comunque a lei. Per una persona ossessionata dalla noia è difficile appassionarsi a un'attività cosí ripetitiva –. Fa una pausa, controlla lo schermo delle partenze dove è appena comparso il suo treno, in arrivo fra dieci minuti al binario tre. Si alza, prende la valigetta dei documenti. – In compenso mi interessa moltissimo come generatore di motivazioni. E in questo momento mi torna utile per una cosa che ho in mente.

Si avvia. Io resto seduta. Non sono sicura di voler ascoltare il resto.

Lui si gira verso di me. – Cosa fa lí? Mi accompagni al binario, finiremo di parlare per strada.

Mi fa la sua proposta in modo asettico. Ne parla come di un incarico sgradevole, non molto diverso da quelli che ho svolto finora.

Condensa tutto in poche parole, il tempo di scendere nel sottopasso e riemergere all'altezza del binario tre.

– Le lascio il tempo per pensarci, – conclude, – il mio consiglio è di decidere entro una decina di giorni, non di piú. Virtualmente la situazione può precipitare in qualsiasi momento.

– Precipitare in che senso?

Lui si ferma accanto al cartellone che riporta la composizione dei convogli, e controlla assorto. – Carrozza due, dovrebbe essere il settore C, – dice, e solleva la testa per sapere se è all'altezza giusta del binario, – ammesso che per una volta la composizione del treno sia qualcosa di piú di un esercizio di stile.

Pensavo non avesse sentito la domanda, invece risponde.

– Pare sia il momento di scontare i miei sessant'anni da fumatore. Ho un cancro. La mia aspettativa di vita va dai dodici ai diciotto mesi, cosí mi dicono, e la diagnosi risale alla fine dell'estate scorsa. L'ho chiesto a diversi specialisti e mi hanno ripetuto tutti la stessa cosa, quindi non mi faccio piú molte illusioni.

L'altoparlante annuncia il treno in arrivo.

– Per riuscire a individuare lo studio piú adatto a lei e convincere il titolare ad assumerla, avrò bisogno di qualche settimana. Faccia i suoi calcoli, e vedrà che non resta molto tempo. Se rifiuta, se nel frattempo divento un vegetale, o se muoio prima, deve rinunciare al mio patrocinio, senza il quale non ha nessuna possibilità di trovare una soluzione con gli stessi vantaggi che le ho offerto io. Se invece accetta è libera a partire da domani. Non occorre che torni piú in studio. Appena avrò individuato il posto dove ricollocarla, le farò sapere. Sarà il suo premio, e la sua liberazione. Non dovrà avere a che fare con me mai piú –. Sorride, come se l'ipotesi fosse tutto sommato ilare. – Ci pensi. La decisione è sua.

Il treno appare in fondo al binario, si avvicina, rallenta. La motrice sfila accanto a Lepore, poi piú lentamente la carrozza numero uno. Diminuisce ancora la velocità, i freni stridono, si ferma.

Sono disarmata.

– Perché? – chiedo.

Lui rimane imperturbabile.

Sta morendo, ma si ostina a manipolare la realtà.

– Voleva questo da me fin dall'inizio? – insisto. Ho bisogno di una spiegazione.

Scuote la testa con fermezza. – In genere non pianifico con tanto anticipo. È la massima idea di libertà che riesco a immaginare. Anche se devo ammettere che qualcosa nel suo racconto mi ci ha fatto pensare fin da allora, sí.

– Cosa?

– Gliel'ho detto, la facoltà. Medicina. Ho ripensato a storie su cui non tornavo da moltissimo tempo. Avevo ricevuto la diagnosi da qualche mese, forse ero incline all'amarezza piú del solito. Mi è sembrato che ci fosse un collegamento.

– Ma un collegamento con cosa? – chiedo esasperata.

I passeggeri cominciano a salire. Sono pochi, non piú di una decina in tutto.

Lepore mette un piede sul predellino continuando a parlare.

– Si limiti a fare quello che le chiedo, Rosita, – dice dandomi le spalle, – e non avrà piú nessun problema. Consideri che non la obbligo. Se non se la sente, è libe-

ra di rifiutare. Non la minaccio di perdere il lavoro, può
restare da me finché non tiro le cuoia. Ma non durerò a
lungo. Date le circostanze non credo si possa dire che è
colpa mia.

Non mi sono mai sentita cosí impotente in tutta la mia
vita.

Lui sbuffa controllando l'orologio e fa per avviarsi all'interno del vagone.

Non può andarsene cosí.

– Non ha senso, – dico a voce alta. – A cosa le serve?
Che cosa ne ricava? – Afferro la maniglia e metto un piede
sul predellino. Il controllore, che si stava già sporgendo dal
primo vagone per fischiare la partenza del treno, mi urla
dietro per invitarmi a salire o scendere definitivamente.
Finché resto dove sono è impossibile chiudere le porte.

– Mi dica perché, per favore, almeno questo!

Lui si ferma. Sembra turbato dalla mia rabbia, come
fosse sul punto di parlare. Invece non dice nulla.

Il controllore scende dal primo vagone e viene verso di
noi gridando, visto che continuo a intralciare la chiusura
delle porte.

Lepore ha un guizzo. – Se le offro una motivazione va-
lida sarà piú facile? Bene, allora posso inventarne una sul
momento, cosí forse si decide a lasciarci partire. Pensi a
sé stessa come a qualcuno che contribuisce a riparare un
torto. Diciamo che c'è un oggetto che mi appartiene e che
ha un certo valore sentimentale. E che il suo lavoro può
servire perché io ne torni in possesso. Va bene cosí? – Sorride sul filo del sarcasmo.

Mi prende in giro? Non lo so.

Il controllore intanto è arrivato ai piedi del vagone, mi
dice cose cui non faccio caso. Ma non posso restare lí. Lascio la maniglia, giro le spalle e scendo.

– Scusi, – dico.

L'uomo mi vede cosí stravolta che rinuncia a infierire. Si volta e torna verso il primo vagone. Sale, fischia e muove il braccio verso la motrice. Lepore è ancora sul predellino.

– Non è terribilmente conforme al suo senso di giustizia sacrificarsi per riparare un torto, Rosita? – mi dice, o almeno cosí mi sembra di capire.

In ogni caso non faccio in tempo a rispondere. Le porte si chiudono, il treno si avvia con lentezza. Quando prende velocità riconosco la sagoma di Lepore che si aggira nel vagone alla ricerca del suo posto a sedere.

– Ti porto un bicchiere di succo, – mi dice Dina alzandosi dal letto. Butta le scarpe nell'armadio e infila un paio di pantofole. – Resta qui e mettiti tranquilla. E stai serena, vedrai che tutto si aggiusta.

Tutto si aggiusta. Mi pare cosa buona ripeterlo tra me e me. Tutto si aggiusta.

Nella stanza accanto il marito di Dina e i suoi figli guardano una partita alla tv aspettando la cena, che è in ritardo per colpa mia.

Cinque minuti dopo lei torna con due bicchieri pieni su un vassoio, e un piattino con un paio di biscotti. – Non sarebbe l'ora giusta per i biscotti, ma non importa, dài, togliamoci uno sfizio.

Non ne ho nessuna voglia, ma accetto perché Dina come sempre indovina il gesto di cura di cui ho bisogno. Beviamo lentamente, mastichiamo in silenzio. Condividere con lei questo minuscolo piacere mi solleva.

– Adesso spiegami meglio, – mi chiede.

Le ripeto quello che Lepore ha detto a me.

Lei ascolta, inspira ed espira pesantemente. Diventa piú tesa mano a mano che procedo, ma si controlla. – Che

sadico schifoso, – sussurra alla fine, – metterti in mezzo
cosí... E quindi cosa devi fare esattamente?

Mi vergogno. – Ha detto che forse non sarà necessario
arrivare fino in fondo. Che lo conosce, è uno che si ubriaca subito. Lo faccio bere, lo assecondo, poi faccio qualche
scatto e me ne vado. A lui servono solo le foto.

– E se non basta? Se vuole altro da te?

Mi siedo di nuovo sul letto. Il bicchiere vuoto si rovescia e rotola sulle coperte. Lo fermo, lo appoggio sul comodino: – Scusa, – dico a bassa voce.

– Lascia stare, non importa. Rispondi.

– Non lo so.

Mi alzo in piedi e comincio a camminare avanti e indietro nella piccola stanza da letto. Le mani mi bruciano.

La voce di Dina torna calma.

– Secondo me è un reato, – dice, come se non volesse
spaventarmi ma ci tenesse a mettere in chiaro le cose.
– Non può obbligarti.

– Non lo fa, infatti. Posso rifiutare.

– E se poi quello ti denuncia?

– Denunciarmi per cosa? Non devo rubare niente. Se
invece ti riferisci alle foto, non credo che sia quel genere
di cose di cui si va a parlare con la polizia.

– Mi sembra assurdo. Possibile che uno con i suoi ag-
ganci abbia bisogno di te per ricattare un altro? È ridicolo.

– Lo so. Ha detto qualcosa su un oggetto che gli appartiene, ma credo mi prendesse in giro. Non sono nemmeno
sicura di avere capito bene.

– Cioè?

– Il treno stava partendo, c'era molto rumore.

– Perché te l'ha detto? Che bisogno aveva?

Già, perché? Forse gli è sfuggito. Non so neppure se
sia la verità.

– Nessun bisogno. L'ha detto perché ho insistito, credo.

Dina mi accompagna di nuovo a sedere, le nostre spalle si sfiorano. – Non lo fare, – dice. – È pericoloso. E poi, in che modo ne esce una come te da una cosa simile?

– Che vuol dire una come me? – domando a testa china.

Dina fatica a trovare le parole. – Non puoi sapere cosa ti toccherà fare davvero. In ogni caso tu non sei abbastanza dura, Rosita.

Lo so. Lo pensa anche Lepore. È questo che lo diverte ed è la ragione per cui me l'ha chiesto. Per lui è solo un esperimento. La mia reazione di fronte a uno stimolo violento, inaccettabile, per vedere se rifiuto o cedo. E se cedo, in che modo questa esperienza mi segna.

– Digli di no, va' via da lí. Troverai un altro lavoro.

Considero l'ipotesi. Tornare indietro di mesi. Se sono fortunata, rimedierò qualche lavoretto precario, senza piú nessuna speranza di frequentare le lezioni, né tempo per studiare.

– A me sembra che se rifiuto la cosa piú probabile è ritrovarmi di nuovo a cercare un lavoro. E magari finisco a fare marchette per sopravvivere –. Sorrido stentatamente, ma Dina non si diverte. – Oppure mi toccherà tornare a casa, – continuo, – che è quasi peggio. Allora forse è piú sensato che succeda una volta sola, per uno scopo preciso. Ammesso che sia necessario.

Dina mi stringe la mano piú forte. Sento la sua pena. Non vuole lasciare che ceda. – Sei sicura?

Ripenso all'estasi che ho provato quando ho saputo dell'esame di Fisiologia. La scarica di adrenalina, il riassestamento istantaneo delle mie prospettive. Dal nulla che avevo alla luce incandescente della felicità. Non posso rinunciare.

– È troppo importante per me.

Lei distoglie lo sguardo, lascia scivolare la sua mano fuori dalla mia. Per qualche istante resta in bilico sul giudizio inappellabile, indecisa se imboccare la scorciatoia della disapprovazione che ha sulla punta delle dita. Potrebbe negarmi il suo sostegno e assolversi con poca spesa. È facile dire «per me sbagli» e dissociarsi da un fallimento futuro. E poi mi vuole bene, la paura per me la contagia. Teme che questa cosa mi avveleni, che mi segni in modo irreparabile.

Poi si rende conto che ho deciso, e con uno scarto improvviso abbandona ogni perplessità e accetta la mia decisione. Mi afferra la mano con forza, vuole che sappia che rinuncia al timore, e che sceglie di fidarsi di me e di quello che mi sembra giusto fare, anche se non è d'accordo. Accetta di credere nell'unica verità che in questo momento sono in grado di offrirle: quella che mi viene dal bisogno.

Mi abbraccia, stringe forte. – Chiamami se ti serve. A qualsiasi ora.

Inverno 1960.

Il matrimonio viene celebrato a dicembre, qualche giorno prima di Natale.

Ludovico non può evitare di essere il testimone dello sposo, anche se è l'ultima cosa che desidera. Gli sembra immorale che gli si chieda di partecipare alla farsa, ma sarebbe molto difficile giustificare una scelta diversa. Dovrebbe dare spiegazioni, non ne ha voglia, quindi preferisce piegarsi.

La cerimonia si dilata come una liturgia bizantina, e gli ospiti riescono a sedere a tavola solo molto dopo le due.

Lui comincia a stordirsi con l'alcol facendo attenzione a non eccedere. Non ha intenzione di creare problemi o diventare molesto, ma ha un gran bisogno di distrarsi e pensare ad altro.

Il suo tavolo è pieno di galline in età da marito. Immagina che ci sia dietro una precisa strategia, e si fa un punto d'onore a ignorarle perché non lo tirino dentro la conversazione. Diversamente dalle sue abitudini non ricorre neppure al sarcasmo. Sarebbe sprecato. Si sente offeso all'idea che qualcuno abbia potuto pensare che femmine di quel tipo possano esercitare una minima presa su di lui.

Verso le quattro, quando ancora il dolce deve essere servito, la donna che adesso è la moglie di Guido si avvicina al tavolo e gli appoggia le mani sulle spalle con grazia.

Ludovico si gira e guarda verso l'alto.

Si è cambiata. Ha un vestito corto color crema con le maniche a sbuffo, il colletto bianco bordato di pelliccia, e intorno al collo due giri di perle. La fede pare incisa lungo la sottile circonferenza del dito. Sembra che sia nata con quel cerchio d'oro intorno all'anulare. Deve essersi anche ritoccata il trucco che adesso è piú aggressivo di quello che aveva sotto il velo da sposa, quando Guido lo ha sollevato per baciarla. Lí dominava il modello virginale, qui c'è la volontà di comunicare che ora è una donna adulta e sposata. Una cosa che la autorizza all'esercizio di pratiche estetiche piú visibili, purché gli altri si mantengano a distanza.

Ludovico e Flavia non si sono parlati quasi mai prima del matrimonio, al di là delle formalità impossibili da evitare. Non sa cosa pensi di lui, e non le ha mai chiesto cosa Guido le abbia raccontato.

Spera almeno che Guido abbia fatto cenno a un rapporto di amicizia che non deve essere ostacolato. Lo desidera come atto di omaggio nei suoi riguardi, per ricambiare tutta la premura che si è preso per il matrimonio. Ma non ne è certo. Guido è uno che tende a semplificarsi la vita, Ludovico lo sa benissimo.

Lei si china e gli dice all'orecchio:

– Spero non sia tutto troppo noioso per te, immagino che questo non sia il genere di situazione in cui ti diverti. Del resto gli uomini non si divertono mai.

Ludovico, seduto, ha lo sguardo all'altezza del ventre di lei. Ormai sono piú di quattro mesi, dovrebbe vedersi qualcosa? Forse no, ma non ne sa abbastanza per esserne certo.

Scuote la testa e cerca di contenere una smorfia.

– La noia si mette sempre in conto a un matrimonio. Come dici tu, non è una cerimonia a cui si partecipa per divertirsi.

Le mani di Flavia sulle sue spalle si contraggono, e Ludovico si pente subito di aver parlato. Contava su una dose minima di senso dell'umorismo, ma l'espressione di Flavia gli dice che ha sbagliato. È il genere di ipocrita che vive tutta la vita per questo giorno e che instaura con ogni ospite al suo matrimonio un patto implicito: si schermirà a parole, ma solo per sentirsi rassicurare che le cose stanno all'opposto di quello che dice di credere.

È una creatura che non chiede altro se non essere raggirata, non avrà mai molta dimestichezza con la verità. In fondo è un vantaggio, pensa Ludovico amaramente.

Lei non si decide a togliergli le mani di dosso, come se sposando Guido avesse acquisito un particolare diritto di intimità anche con lui, e intanto ciarla con gli altri ospiti intorno alla tavola.

Poi Ludovico si rende conto che ha fatto il suo nome e che tutti lo stanno guardando.

– Scusa? – le chiede rivolgendo di nuovo lo sguardo verso l'alto.

Gli ospiti ridacchiano. Flavia gli risponde, parla con lentezza, sembra che si stia rivolgendo a un idiota.

– Io non ho detto niente. È Marisa che ti ha fatto una domanda. Rispondi. Marisa, ripeti per favore.

E indica la ragazza seduta di fronte a lui, quella che non ha smesso un attimo di parlare da quando si sono seduti.

Lei si agita sulla sedia come se fosse stata chiamata alla cattedra per un'interrogazione. Appoggia i gomiti sul tavolo e intreccia le dita, sporgendosi in avanti:

– Ho detto: e ora che Guido è sposato cosa farai? Siete stati sempre cosí uniti, voi due. Lo sai che adesso sarà lei la regina del suo cuore, vero?

Tutti ridacchiano di nuovo. Ludovico, incredulo, si ripete mentalmente quella devastante banalità: «la regina del suo cuore». Vorrebbe alzarsi e andarsene per rendere chiara la misura del suo disgusto.

Quello che lo preoccupa però è che ha riconosciuto lo sguardo d'intesa tra Flavia e l'amica. Il teatrino è stato concordato da chissà quante settimane. Marisa ripete ciò che Flavia le ha chiesto di dire, per estorcere un obbligo formale che sancisca il passaggio di consegne. Ludovico deve confermare in pubblico che rinuncia all'intimità che gli deriva dall'amicizia con Guido. Non aveva immaginato che lei potesse essere cosí subdola.

Sorride ricambiando l'espressione ebete di Marisa.

– Cercherò di fare tutto quello che è nelle mie possibilità, – risponde. – Però ora brindiamo agli sposi, – si alza e si guarda in giro. – Guido!

Lo chiama a voce alta attirando la sua attenzione. Flavia fa scivolare via le mani che teneva ancora appoggiate alle sue spalle. Si vede che pensava di risolvere la faccenda da sola cogliendolo di sorpresa, e questa piccola diversione la innervosisce.

Appena Guido arriva al tavolo, Ludovico gli porge un bicchiere di champagne, poi ne riempie uno per sé e uno per Flavia.

– Tua moglie dice che devo rassegnarmi a perderti, e che ora sei di sua proprietà. Anzi, per essere piú precisi lo dicono tutti. E siccome sono un uomo comprensivo, mi piego volentieri alle tue accresciute responsabilità. Da amico, mi impegno formalmente a cederti a Flavia in via esclusiva. Del resto ormai siamo troppo vecchi per continuare come a dodici anni, no?

Alza il bicchiere per brindare: – Ai matrimoni, e ai molti benefici dell'età adulta!

Guido sorride a Flavia: – Gli hai detto davvero cosí? Sei una donna coraggiosa. Non è mica innocuo, Ludovico, sai? Pensavo di avertelo spiegato.

Flavia si porta le mani al petto e respinge le accuse: – Io non ho detto niente. È stata Marisa! – La ragazza ridacchia e si nasconde dietro il tovagliolo simulando terrore.

Guido alza il bicchiere verso Ludovico.

– Accetto il brindisi ma propongo una variante. Il tuo augurio non mi pare molto appropriato per un matrimonio.

Ci pensa un attimo, poi solleva il calice.

– All'amore che dura per sempre e scavalca gli ostacoli, – dice a voce bassa, senza enfasi.

Flavia gli si getta tra le braccia, mentre Guido guarda Ludovico oltre le spalle di lei. Anche Ludovico alza il bicchiere nella sua direzione e lo ringrazia in silenzio. Inclina appena la testa in un gesto destinato solo a lui. Sorride. Ma ha ancora paura.

Piú tardi quella sera, prima che gli sposi lascino gli ospiti per il viaggio di nozze, Ludovico prende Guido da parte.

– Accompagnami alla macchina, – chiede. – Solo un minuto –. Una volta arrivati estrae l'efebo dal portabagagli.

Guido lo fissa interrogativo.

– L'altro giorno mi ha parlato chiaramente, – dice Ludovico, accennando verso la statuina. – Voleva seguirti. Magari i primi tempi potrebbe aiutarti. Tienilo per qualche settimana, finché non ti abitui al matrimonio.

Guido è perplesso. – Te l'ho detto, non l'ho mai trovato particolarmente simpatico.

– Accontentami. Non è facile per me cedertelo, nemmeno per poco.

– E allora perché lo fai?

– Perché credo possa esserti utile. E perché ti aiuterà a ricordare quello che siamo. Comunque è temporaneo. Non ho nessuna intenzione di regalartelo. È mio, e per me è un sacrificio.

– Ma allora lascia stare… – insiste Guido.

Ludovico lo zittisce. – Fallo per me.

La paura sta scavando un cunicolo. Malgrado tutte le garanzie che Guido gli ha offerto, Ludovico ha qualche motivo per essere spaventato. La presenza dell'efebo in casa di Guido gli dà conforto, anche se non riesce a dirlo con chiarezza nemmeno a sé stesso. È un pensiero piuttosto bizzarro per un uomo che si vanta di essere cosí razionale.

Guido tentenna, poi accetta con un sorriso.

– Non riesco a capire cosa ci trovi, ma ho saputo fin dal primo momento che eravate fatti l'uno per l'altro.

11

Lepore è passato ieri sera sotto casa mia.

Ha voluto darmi istruzioni precise sull'abbigliamento.

Lo trovo quasi ironico. Fin dall'inizio non ha fatto che dirmi cosa devo mettere. Adesso però siamo approdati a un livello superiore. Da segretaria ammiccante a puttana da estorsione. Mi ha fatto consegnare tutto già ieri, con un corriere.

– È arrivato il pacco? – ha chiesto appena sono scesa. Ho annuito.

– Bene –. Ed è rimasto in silenzio per un po' mentre passeggiavamo fianco a fianco.

– Per prima cosa, poco trucco, – ha detto dopo qualche secondo. – Perché a quello pensa lui, fa parte del gioco. Solo le labbra devono essere rosse. Attira la sua attenzione.

Poi mi ha dato tutte le indicazioni. Dove devo andare, a che ora, cosa ordinare al bar, e quanto aspettare nel caso non dovesse arrivare.

– Per quanto tempo dovrò tornare in quel posto? – gli ho chiesto.

– Non posso dirle quando arriverà, o quando sarà dell'umore giusto. Non piú di un paio di giorni, comunque.

Ho provato a chiedere qualche dettaglio in piú, ma non mi ha detto quasi niente. Ha solo ripetuto quello che aveva accennato sul treno. Che l'uomo gli deve qualcosa che è suo, e che in questo momento è ricattabile. Qualche foto in compagnia di una prostituta basterà a convincerlo. Nella sua drammaturgia schizoide la prostituta sono io.

Però non gli credo fino in fondo. Forse in parte sarà vero, avrà un oggetto da recuperare. Ma sono certa che quello che lo attira di piú è l'idea di buttarmi nel fango e osservare che mi dibatto.

– Quando devo cominciare? – ho chiesto.

– Anche domani. Lui va in quel bar piuttosto spesso.

– Lei è sicuro che vorrà avere a che fare con me? Non sono mai stata una che si nota.

– Una donna che si nota non sarebbe adatta, – risponde lui. – È lei il genere di donna che gli piace di questi tempi. È sempre stato volubile, e cambia gusti continuamente. Ora le preferisce magre, con i tratti non troppo marcati. È quello di cui ha bisogno per assecondare i suoi giochetti: una donna neutrale. Perché si diverte a truccarle, trasformarle in qualcosa di diverso. Mentre lo fa, beve.

– E dopo il trucco cosa succede?

– Dipende, – ha risposto.

– Da cosa?

– Fondamentalmente da quanto ha bevuto. E da quanto gli piace il risultato finale. Lei lo faccia bere, e forse se la caverà con poco.

Mi ha mostrato una foto per poterlo riconoscere. Sembrava una di quelle immagini che si allegano a un curriculum in rete, molto simili alle foto segnaletiche della polizia, senza espressione.

L'uomo dava l'idea di essere qualche anno piú giovane di lui. Aveva occhi marroni oscurati da palpebre pesanti, infossate. La linea della bocca dritta, le labbra carnose. Due rughe gli scavavano le guance in diagonale dalla base del naso fino al mento. I capelli erano bianchi, luminosi, ordinatamente tagliati a spazzola. Comunicava forza, intraprendenza.

Da giovane deve essere stato bello, ho pensato.

Ma non sono riuscita a fissare la fotografia a lungo. L'ho messa in tasca.

– La guardo meglio dopo, – ho detto.

– Ne sono sicuro, – mi ha risposto lui.

Poi mi ha riportata sotto casa e ha fatto per andarsene.

Avevo un'ultima opportunità di fargli una domanda. Era un modo per trattenerlo, per sperare che mi spiegasse meglio, che mi facesse capire.

– È un oggetto prezioso?

Ci pensa. – Perché dovrei risponderle? Non occorre che lo sappia. In ogni caso non cambia niente.

– Per favore.

– No, è una copia. È prezioso per me. E per lui non significa niente, eccetto il fatto che significa molto per me. Tutto qui.

Sta morendo. E questo è il meglio che riesce a desiderare per l'ultimo atto della sua vita. Usare una donna senza mezzi per il suo divertimento, costringerla a ricattare qualcuno che lo disprezza al punto da negargli un ricordo perfino di fronte alla morte.

Provo pena per me, ma questa è una cosa di cui mi occuperò poi. Per il momento tutta la pena che provo è per lui.

Passo la notte a guardare il soffitto.

Al mattino ogni esitazione è scomparsa.

La stanchezza e l'assenza di alternative hanno annullato il bisogno di continuare a pensare in modo ossessivo, come se la mia testa fosse irradiata dalla traiettoria di pallottole traccianti che rimbalzano sui muri. La mia mente è uno schermo grigio, liscio e senza interferenze.

Il processo di valutazione, le implicazioni, le conseguenze, la paura di non essere in grado di arrivare fino in fondo, tutto è stato risucchiato dalla necessità.

Mi rintano nella nicchia piú profonda che riesco a scavare dentro di me per prendere tutta la distanza possibile da quello che sto per fare. Mi lascio scivolare sulla superficie delle cose quel tanto che basta per portare a termine l'incarico.

Riprenderò a respirare quando sarò fuori da questa storia. Rimuoverò il ricordo, passerò oltre, e sarò libera dal bisogno.

Primavera 1961.

Guido torna dal viaggio di nozze nervoso e sfuggente. Ludovico è sempre piú preoccupato. Vedersi diventa difficile come era stato l'anno prima. Il tono provocatorio di Guido però è sparito, e al suo posto c'è un'insofferenza ostile che non aveva mai mostrato.

Ludovico cerca di essere paziente, immagina che sia la nuova vita cui Guido deve adattarsi, dà la colpa soprattutto all'idiozia della moglie, per di piú incinta, che non gli rende la vita facile. E con la nascita del bambino le cose non migliorano.

L'efebo rimane a casa di Guido. Ludovico prova a ricordarglielo un paio di volte, ne sente la mancanza, e soprattutto realizza presto che non è di alcuna utilità lí dove si trova. Si pente di averglielo dato. L'amore che Ludovico aveva messo in quel gesto è caduto nel vuoto senza rumore.

Però il momento per Guido è difficile, e a Ludovico non sembra il caso di insistere. Si dice che prima o poi riuscirà a riportarlo a casa.

Un tardo pomeriggio particolarmente freddo Guido, che è appena arrivato da Ludovico per un saluto, si rimette subito in piedi e si infila il cappotto per andare. È dimagrito, si lamenta che lo studio va a rilento, che Flavia lo distrae, e il bambino piange in continuazione.

Ludovico si agita. – Perché non resti ancora? Sei appena arrivato.

– Non posso, abbiamo un appuntamento con il pediatra, se arrivo in ritardo Flavia mi rovina la serata.

Ludovico non riesce a trattenersi. Ha già mandato giú diversi commenti aspri per non guastare il piacere di averlo con sé qualche ora.

– Non ci vediamo da settimane, resti dieci minuti e passi il tempo a recriminare su di lei. Come credevi che sarebbe stato il matrimonio?

Guido è troppo stanco per essere arrabbiato. – Sarebbe a dire che devo venire esclusivamente quando sono nello spirito giusto per intrattenerti? La mia vita, quando non è conforme alla letizia, diventa un fastidio?

– Ti sto solo dicendo che lo spazio per noi è poco, in questo modo si assottiglia ancora di piú. Sei stato tu a garantirmi che dopo il matrimonio non sarebbe successo.

– Hai ragione, sono stato superficiale –. Sul viso di Guido passa un'espressione colpevole. Prova a parlare, non riesce. Alla fine dice a voce bassa: – Forse c'è un tempo per tutto.

Ludovico cerca in quelle parole un'eco che non sembri una sentenza, e non lo trova. – Cosa significa? – chiede.

Guido esita. – È stato bello, significa questo. Non sono pentito. E ne valeva la pena.

Ludovico sente che la pienezza della sua vitalità defluisce via dal corpo. Non risponde. Non collabora.

– Non pensavo che fosse cosí, – dice ancora Guido. – Ogni giorno che passa mi accorgo che la vita adulta è un'altra cosa, e penso che lo sappia anche tu.

Oscilla sui talloni avanti e indietro, in attesa di una risposta. Ludovico si ostina al silenzio.

– Non hai niente da dire? – domanda Guido quando non lo tollera piú.

L'altro spera che sia un pretesto, un modo indiretto per chiedere di fornirgli un buon motivo per restare, ma prima che possa rispondere Guido scivola nella trappola dei vigliacchi, quella che spinge a lasciare la porta socchiusa per paura di fare la scelta sbagliata, a costo di tenere l'altro impigliato alla tua debolezza.

– In ogni caso questo non cambia niente fra noi, no? Quello che c'era prima rimane –. E lo sguardo di supplica gli esonda dagli occhi.

Allora Ludovico sa che è finita.

Sceglie di uscirne facendo piú male che può.

– Se te ne vai, – sibila, – almeno fallo da uomo. Assumiti le tue responsabilità. Non pigolare come una ragazzina.

Guido si irrigidisce.

– Non mi pare di averti costretto.

Eccola, la scusa pietosa, pensa Ludovico. Sminuire quello che si è provato chiamando l'altro a condividerne le responsabilità. Come se l'amore ricambiato fosse un concorso di colpa.

– Vattene. E rivoglio l'efebo. Puoi spedirmelo, o dire al tuo custode di riportarlo prima possibile, – gli dice con disprezzo.

– Non so neppure dove l'ho messo! Flavia lo odia, l'avrà nascosto in fondo a un armadio.

Ludovico è allibito. Questo è il peso che Guido assegna a un oggetto che per lui – per loro! – ha tanto valore. Niente. Meno di niente.

– Tiralo fuori al piú presto e ridammelo.

Guido esita, ha l'istinto di avvicinarsi, poi rinuncia. – Cristo, Ludovico, esiste anche un altro modo di vivere, sai? Non è sempre necessario fare terra bruciata e cospargere le ferite di sale.

– Cosa volevi, una benedizione apostolica?

– Potrebbe essere meglio anche per te, ci hai pensato?

– Io non ho bisogno di beneficenza. Sei tu che non vali niente senza scorciatoie. Ora vattene, mi annoi.

Guido lo osserva, ma non trova nessun varco. Si rassegna, gira le spalle e se ne va.

Ludovico è feroce. La sua rabbia è incandescente ma, a parte quello, non sente piú nulla. Gli sembra di essere morto, si tiene insieme solo grazie all'orgoglio punitivo, quello che punta il dito contro l'altro per dimostrare che non ha piú bisogno di lui. L'orgoglio, almeno quello, non gli manca, e lo mantiene in vita.

L'assenza dell'efebo però continua a pesargli, anzi si accresce. Non si rassegna all'idea di averlo dato via con le sue mani, e focalizza ogni residuo di dolore nella percezione del vuoto intorno a quella creatura astrale e silente. Lo disturba che sia assieme a una persona indegna, in un posto dove non è tenuto in alcuna considerazione.

Ma Guido non glielo restituisce, e lui non vuole piú chiederglielo direttamente. Parlargli ancora sarebbe una sconfitta.

Si laurea, a trentotto anni rimane unico titolare dello studio di famiglia, diventa l'uomo di successo che era destinato a essere fin dalla nascita.

Non si sposa. A questo punto, con quello che sa, e che gli è costato imparare, non ne vede il motivo. Ha altri amanti discreti, ma sono relazioni quasi esclusivamente utilitaristiche, da entrambe le parti. Se ne stanca presto.

Ha sempre saputo che l'amore è un sentimento pretenzioso e sopravvalutato, e ne ha fatto puntuale esperienza. La facilità con cui se ne libera quando decide di smettere è solo un'ulteriore conferma.

Poi comincia a invecchiare.

Con il tempo si adatta sempre meglio al proprio dolore, convertendo i ricordi in una macchia confusa che non trasmette né slancio né malinconia. Li ripulisce dal midollo emotivo e conserva solo quello che umanamente non può cancellare, a meno che non provveda qualche forma di demenza: un grumo di immagini e parole neutre e sterilizzate, incapaci di fare veri danni.

In certi momenti si convince che tutto quello che è successo non ha contato nulla, e non ha lasciato tracce nella sua esistenza. Altre volte ha dei dubbi, ma non è tipo da farsi ostacolare da trappole speculative, cosí procede, e continua dritto per la sua strada con la determinazione di sempre.

A settantacinque anni una mattina all'improvviso si alza dalla scrivania e sviene. È in studio da solo, lo trova la sua segretaria quasi due ore dopo.

In ospedale gli fanno un check-up completo cui si sottopone malvolentieri, poi, malgrado il parere contrario dei medici, firma per lasciare l'ospedale. Qualche giorno dopo lo ricontattano d'urgenza. Ci sono i risultati delle analisi, e con quelle arriva la diagnosi.

Come al solito gli pare di non sentire niente. Non ha sintomi evidenti. La notizia non gli causa né angoscia né paura. È talmente abituato a vivere sotto anestesia che la cosa nemmeno lo sorprende.

Però uscendo dallo studio del medico, in mezzo alla strada, all'improvviso gli torna in mente l'efebo, l'*Ombra della sera*. Non ci pensava piú da moltissimo tempo.

Lo sommerge un senso di ingiustizia all'idea che l'efebo sia con Guido, e non con lui. In maniera del tutto irrazionale sente di averne bisogno. Ripensa alle parole che ha pronunciato prendendolo in custodia la prima volta. Se le ricorda ancora bene. «Da me avrà sempre tutto quello che merita». Ma la verità è che non è stato affatto cosí. Lo ha lasciato andare.

Prova un profondo senso di colpa. Adesso che lo spazio e il tempo della sua vita sono razionati, e ogni giorno può essere l'ultimo, ha l'urgenza di riprenderselo, come se fosse una creatura vivente da salvare da un destino infelicissimo.

Con il ricordo torna il dolore, quello che credeva di avere esorcizzato. Ludovico ha amato con lealtà. Non è stato lui a tradire. E l'unico testimone di ciò che ha sofferto è stato l'efebo. Tutto il resto è irrecuperabile, ma questo almeno è un torto che si può riparare.

Si decide ad agire, ma non sente Guido da cinquantacinque anni. Non si sono piú rivolti la parola nemmeno nelle rare occasioni pubbliche in cui è capitato di incrociarsi.

Allora gli scrive. Lo fa una, due, tre volte. Non menziona la malattia e ricorre a toni piuttosto decisi, senza dare spiegazioni di alcun tipo. Guido non risponde mai. Ludovico è quasi certo che l'efebo sia ancora con lui, che non se ne sia liberato.

Di fronte al silenzio di Guido ritrova intatto tutto l'odio che credeva di aver sepolto, lo stesso provato a Volterra nei confronti della sua supponenza. Decide che in un modo o nell'altro l'efebo deve tornare da lui, e questa diventa l'unica ossessione con cui riesce a tenere a distanza il pensiero della morte.

Se lo raccontasse a qualcuno lo prenderebbero per pazzo, e forse perfino lui, nelle sue precarie condizioni, comprende che si tratta di un assillo senza senso, che non è l'efebo a mancargli. Ma Ludovico Lepore non parla di sé con nessuno da tanti anni, e nel silenzio il suo delirio trova lo spazio per crescere.

12

Il barista prende il bicchiere e lo riempie di ghiaccio fino all'orlo. Aspetta che si raffreddi, poi lo rovescia per far scolare l'acqua. Aggiunge il gin, il Campari, e per ultimo il vermut. Infila il cucchiaio e miscela tutto lentamente, agitando appena i cubetti. Poi nel liquido affonda una fetta d'arancia.

– Negroni per la signora, – mi dice appoggiando il bicchiere sul bancone davanti a me. – Complimenti, – aggiunge.

Lo guardo. – Per cosa?

– Non è un cocktail da donna. Anche gli uomini ci vanno piano.

Non vado pazza per l'alcol, di rado mi spingo oltre la birra. E non ho mai bevuto un Negroni.

– Ci sono cocktail che le donne non bevono?

– Questo, per esempio. È piuttosto forte.

L'ho ordinato solo perché è ciò che Lepore mi ha detto di fare, senza spiegarmi perché. Deve essere il suo senso dell'umorismo. Discriminare le donne anche con l'alcol. Ha scelto un cocktail che probabilmente non riuscirò a mandare giú perché non sono all'altezza.

Il bar è dietro piazza delle Erbe e non ha nessun carattere particolare. Non è un locale da happy hour, ma nemmeno un bettola sordida. Discreto, infossato dentro un portico che corre lungo tutta la strada, senza insegne appariscenti.

Prendo il bicchiere e vado a sedermi a un tavolino in fondo al locale. Il ghiaccio nel Negroni si agita. Devo sapere almeno che sapore ha. Appoggio il bicchiere alle labbra, facendo attenzione a non sbavare il rossetto. Sfioro il liquido con la punta della lingua. È peggio di quanto immaginassi. Sarò brava se riuscirò a mandarne giú un terzo. Devo stare attenta, restare lucida, o rischio di rovinare tutto.

Il barista mi guarda da dietro il bancone, forse vuole vedere che effetto mi fa. Gli sorrido per riflesso condizionato, d'abitudine sorrido a tutti. Però so che non è in linea con il personaggio che dovrei rappresentare, oltre che con il mio stato d'animo, e giro la testa dall'altra parte.

C'è una coppia di mezza età seduta accanto alla vetrina. Sembrano stranieri, del Nord Europa. Probabilmente cenano, con due tramezzini a testa e una Coca in due. Sul tavolo hanno ammucchiato tutto l'armamentario del turista. Guide, mappe, una macchina fotografica digitale.

Al banco c'è un altro paio di persone. Uomini sulla cinquantina che bevono vino bianco.

Entrando, per un momento ho pensato che uno dei due potesse essere la persona che aspetto, ma quando gli sono passata accanto mi sono resa conto che sono troppo giovani.

Lepore mi ha detto di non avere fretta: si sieda e aspetti. Lo conosco. Entrerà nel locale e verrà a cercarla. Non ha mai avuto bisogno di incoraggiamenti.

Infatti quando arriva, dieci minuti dopo, lo riconosco subito.

Scandaglia il locale con un'occhiata veloce. Sul mio tavolo si ferma una frazione di secondo in piú, poi passa oltre. Va al banco, si siede e saluta il barista.

Parlano sottovoce. Mi pare che il barista ammicchi nella mia direzione, ma sono ipersensibile al punto che potrei convincermi di qualsiasi cosa.

Mi impongo di respirare con lentezza, svuotare i polmoni fino in fondo, bere ancora un po'. Non sento quasi piú la gonna che mi strizza i fianchi e che fino a un momento fa mi infastidiva. Non sento nemmeno i piedi, malgrado le scarpe, i tacchi, e la fatica fatta per camminare fino a qui sul selciato sconnesso del centro storico. L'uomo al bancone si fa servire un bicchiere di prosecco. Scambia qualche parola con i due seduti al bar. È chiaro che si conoscono. Il tono di voce si alza, gli altri hanno già bevuto parecchio. Ridono, si dànno grandi pacche sulle spalle.

L'uomo è alto come Lepore, ma a differenza di lui, che ha perso fluidità negli ultimi mesi a causa della malattia, è sciolto come se avesse vent'anni di meno.

Continua a lanciarmi occhiate, non fa alcun tentativo per avvicinarmi. Io cerco di sembrare distratta. Scorro il display del telefono, ma lo tengo sotto controllo di sottecchi. Se guarda verso di me, alzo la testa e sorrido.

La prima sera se ne va dopo mezz'ora, salutando gli altri due. Torna quella successiva. Ci sono gli stessi uomini al bancone, come ieri arrivati prima di lui, e la scena si ripete quasi uguale. Però mi rivolge lo sguardo piú spesso, e piú a lungo.

La terza sera lo scenario cambia: arriva che gli amici se ne sono appena andati. Mi hanno tenuto la porta aperta quando sono entrata, pochi minuti fa.

Il barista lo saluta e gli serve il solito bicchiere di prosecco. E lui comincia a fissarmi in modo piuttosto esplicito.

Io sto all'erta come un animale, consapevole che stavolta verrà a cercarmi e che questa è l'ultima occasione che ho per alzarmi e andarmene. Soltanto un minuto e il meccanismo si avvierà.

Poi lui si gira e prende in mano il bicchiere. Si alza dallo sgabello, viene verso di me. Tutte le opzioni ancora possibili emettono un ultimo bagliore nel buio del locale, vibrano, poi collassano nell'unica scelta che mi rimane.

Non so bene dove siamo. In centro, senz'altro. Abbiamo fatto diversi giri, entrando e uscendo da vicoli sempre piú piccoli. Quando credevo di non poterne piú di camminare sui tacchi, si è fermato e ha tirato fuori un mazzo di chiavi dalla tasca.

È stato molto gentile, finora. L'inflessione della sua voce ricorda quella di Lepore. Però è piú loquace, e meno sentenzioso. Chiacchiera senza sosta, credo si preoccupi di riempire il silenzio visto che io faccio fatica a emettere suono per il rischio di scoprirmi.

Mi ha detto di viaggi, mostre, cinema, svolazzando da un argomento all'altro, come un uomo che sa stare al mondo, e continua a parlare anche ora, mentre gira la chiave nella toppa di un portoncino che dà direttamente sulla strada. Poi apre e si fa da parte per lasciarmi passare.

Accende la luce e spalanca le imposte.

L'appartamento sembra ricavato nella portineria di un palazzo antico, il soffitto è coperto da travi massicce. L'arredamento è essenziale, elegante, solo sfumature bianche e ocra.

Su tutte le pareti disponibili si allineano scaffali colmi di libri che arrivano fino al soffitto. Sotto la finestra c'è una scrivania sottile in vetro satinato, piena di carte. Nell'angolo, un laptop aperto ma con lo schermo spento. Sembra lo studio di uno scrittore.

Si vede però che è una casa disabitata, fatta apposta per ritagliarsi spazi di solitudine, oppure incontri di cui nessuno deve sapere. Una sorta di open space, con l'eccezione di un'unica stanza che si apre sul fondo. Non c'è traccia di una vera cucina.

La prima cosa che l'uomo fa è aprire un frigorifero di piccole dimensioni incassato in un angolo e prendere una bottiglia con due bicchieri, che riempie per noi.

Poi tira fuori il portafoglio ed estrae delle banconote. Me le mostra a distanza con un gesto discreto, appena accennato, solo per accertarsi che abbia visto, e le lascia sul tavolino accanto all'ingresso, pronte per essere ritirate quando uscirò. Fa tutto in modo naturale, come fosse la sua routine giornaliera.

Si toglie la giacca, la butta sul divano. Il suo sguardo ora è meno amabile e piú concentrato. Mi prende una mano e mi fa fare un passo indietro, il mio braccio teso e il suo allineati in un'unica retta, come se volesse farmi fare una piroetta. Invece vuole solo guardarmi a una certa distanza. Mi studia. Mi gira intorno.

So cosa devo aspettarmi, Lepore me l'ha spiegato. Mi ha detto che l'ultima mania che gli è venuta è quella di trasformare le donne con le sue mani. Per questo vuole ragazze come me, con tratti semplici, quasi anonimi, niente di marcato, il genere di viso che si trasfigura completamente con il trucco.

Mi sfila l'impermeabile leggero, che è nero e lucido, e fa un fruscio strano, elettrico. Poi va a riprendere il suo bicchiere e lo vuota. Afferra la bottiglia e mi fa segno di seguirlo nell'unica stanza.

Provo a obbedire. Mi tremano le gambe. La sola cosa a cui riesco a pensare per guadagnare del tempo è di andare in bagno. Glielo chiedo, e lui mi indica una porta che non avevo notato, nell'angolo dell'appartamento piú distante dalla luce.

Quando sono dentro appoggio la schiena alla porta. Se comincio a tremare finirò per non essere credibile. Temo che abbia già avuto qualche sospetto lungo la strada perché non ho detto una parola. Avrei fatto meno danni se avessi provato a balbettare qualche banalità insulsa. Avrei corso solo il rischio di passare per stupida.

Appoggio le mani al lavandino e mi guardo allo specchio. Struccata e con le labbra di porpora sembro una ragazzina di dodici anni che ha messo il rossetto per gioco. Non riesco a capire cosa possa trovare di attraente in una come me.

Mi sciacquo le mani, prendo un ultimo respiro profondo ed esco dalla stanza spegnendo la luce.

Appena fuori, noto una vetrinetta che non avevo visto prima, anche se è accanto alla porta di ingresso.

Sullo scaffale basso e su quello piú alto sono allineati una decina di libri. In quello centrale invece c'è la statuina in bronzo di un adolescente, con braccia e gambe allungate in modo innaturale.

È bellissimo. Per un momento dimentico perché sono lí e mi fermo a osservarlo. I suoi occhi sono all'altezza dei miei. Resto a fissarlo a lungo. L'uomo mi nota e mi viene vicino.

– L'ho messo apposta dietro la porta in modo che nessuno si accorga della sua presenza, e infatti è quello che succede quasi sempre, – dice.

Io penso mi stia accusando di indiscrezione, e faccio un passo indietro troppo in fretta. Lui mi rassicura.

– Puoi guardarlo quanto vuoi. Non sono io che voglio sottrarlo alla vista, è lui che ama il buio. Ma quando invece fa dei cenni di richiamo vuol dire che ha qualche interesse a farsi guardare. Si vede che gli piaci.

Ha ancora la bottiglia in una mano e il bicchiere vuoto nell'altra. Se lo riempie di nuovo.

– È strano che tu l'abbia notato. Le signore che porto qui in genere non hanno molto interesse per l'arte. Questo oltretutto è una copia, anche se ben fatta, e non vale molto.

«Una copia. Per lui non significa niente, eccetto il fatto che significa molto per me». Cosí ha detto Lepore.

È possibile che sia l'oggetto che vuole indietro? Forse. Ma quest'uomo potrebbe avere decine di statue ovunque, anche se qui non ne vedo altre. Ci sono solo libri, e il computer.

Mi dico che vale la pena indagare. Mando giú d'un fiato il bicchiere in cui per fortuna mi aveva versato poco vino, e allungo il braccio per farmene dare ancora, perché mi sembra un gesto disinvolto.

– Ce l'hai da molto tempo?

È faticoso dargli del tu.

Lui mi versa il vino, poi beve.

– Moltissimo, sí. Ogni volta che lo guardo ho la tentazione di buttarlo via. Mi disturba, e ha un aspetto giudicante. Non mi piaceva neppure quando l'ho comprato, ma una volta avevo un certo gusto per la provocazione. A ripensarci adesso mi pare tutto piuttosto gratuito.

– Perché non te ne liberi, allora? Non puoi venderlo?

– Non vale niente, te l'ho detto. A te piace?

Guardo di nuovo la figura sottile dell'efebo, remota come fosse in un'altra costellazione e proiettasse in mezzo a noi la sua immagine da una distanza siderale.

– Mi piace, sí. Però non so spiegare perché. È assente ma attentissimo insieme, no?

– Sí, è come se registrasse tutto quello che vede e lo tenesse in memoria. Credo sia per questo che faccio fatica a liberarmene.

Sorrido. – Perché, ha visto molte cose belle?

Si gira e fa qualche passo verso la finestra. Fuori il sole sta calando. I raggi di luce inclinata lo avvolgono in un alone di trasparenza.

– Non so cosa risponderti. Fammi un esempio, definisci la tua idea di bellezza.

Mi prendo un attimo per pensarci.

– Non so, magari quei momenti compiuti, che annullano il futuro.

Mi guarda interrogativo. – Cioè?

– Quando il tempo rallenta, sprofonda. Non pensi piú a niente se non a essere lí. L'unica cosa che importa è quello che c'è. Non ti sei mai sentito cosí?

Non mi risponde.

– A me è capitato poche volte, – aggiungo, – e quasi mai quando me lo aspettavo. È stato sempre improvviso. E quando esci da quello stato è come se ti avessero dato una botta in testa.

Bevo un altro sorso e mi avvicino. Lui è rimasto accanto alla finestra. Non mi pare disposto a dire altro, e non ne so ancora abbastanza per stabilire se l'oggetto che Lepore vuole indietro è davvero questo.

Ma tanto a cosa mi servirebbe scoprirlo? In ogni caso non è previsto che lo rubi, oltretutto sarebbe rischioso. Devo solo aspettare che lui si ubriachi per scattargli qualche foto, me e lui insieme, al resto penserà Lepore.

L'uomo pare distante, non mi guarda, continua a bere. Non so perché mi viene spontaneo mettergli una mano sul braccio, in un gesto che può essere scambiato per una carezza. Poi penso che sia inappropriato e la tiro via.

Il contatto lo risveglia dal torpore. Si gira verso la vetrinetta. – Avevo quasi deciso di farne a meno qualche mese fa, ed è stato piuttosto liberatorio. Qualcuno me l'ha chiesto indietro, avanzando dei diritti. Ma ogni volta che ho provato sul serio a farlo uscire da qui, non ci sono riuscito. Qualcosa mi trattiene. L'idea di cederlo mi fa sentire a disagio.

Mi focalizzo su ciò che sta dicendo. Di nuovo torna a sembrarmi molto plausibile che l'oggetto sia questo.

La mia prima reazione è di rabbia. Un capriccio tra due vecchi che non hanno di meglio da fare nella vita che contendersi un giocattolo come bambini. Però c'è anche qualcosa che perversamente mi commuove. Sono entrambi uniti a un oggetto che non ha valore di mercato, quindi deve averne uno affettivo.

– Averlo indietro? Cioè non è tuo?

Lui beve e pensa, sembra non essere in grado di produrre una risposta senza qualche tipo di carburante. Benedico il fatto che continui a mandare giú alcol. Di questo passo tra mezz'ora sarà ubriaco.

– Un'altra domanda cui non sono sicuro di saper rispondere. L'ho pagato io, ma era un regalo. Poi l'ho avuto in prestito dal proprietario. Infine ho mancato di restituirlo, non so nemmeno io perché, visto che non mi è mai davvero piaciuto. Tu a chi diresti che appartenga?

Mi viene da ridere. La cosa è talmente involuta che ora ne ho la certezza. È questo l'oggetto che vuole Lepore. Da come mi ha parlato di quest'uomo, e da come l'uomo parla della statua, è chiaro che non si vedono da molto tempo, e non ricorrerebbero a strategie cosí contorte se la separazione non fosse stata dolorosa. Mi chiedo se sia una faccenda che riguarda solo loro due, oppure una questione di famiglia.

– Non lo so davvero.

– Come faresti a decidere? – mi chiede.

Penso alla malattia di Lepore, al suo tempo che si assottiglia.

– Ne hai piú bisogno tu, o la persona che lo vuole indietro?

– Non credo che serva a nessuno dei due, ormai, è un oggetto vecchio e senza senso.

– Se non avesse senso la persona che lo vuole non te lo chiederebbe, e tu non avresti nessun problema a restituirlo.

Mi fissa con attenzione.

– Sei una ragazza strana. Non sarai un po' troppo morbida per fare questo mestiere?

Mi giro e gli do le spalle perché non mi legga niente sul viso. – Si prende quello che capita, no?

– Hai ragione, – risponde, e mi afferra la mano. – Pensiamo a noi.

Mi porta verso la stanza sul fondo. È una camera molto ampia. La prima cosa che noto è un tavolo sovrastato da uno specchio che occupa la fascia superiore della parete fino al soffitto, a fianco c'è un letto matrimoniale sotto la finestra.

Lo specchio è tappezzato da foto di donne truccate in modo professionale. Ombretti grigi e scuri sugli occhi, pelle compatta, labbra di un rosso carico. Niente corpi nudi o vestiti, solo volti di tutte le dimensioni. Foto in bianco e nero e a colori, alcune piuttosto datate.

In fondo alla stanza c'è un séparé, me lo indica.

– Lí c'è una vestaglia. Togliti tutto e mettila.

Dietro il séparé trovo una poltrona beige su cui è appoggiato un kimono di seta perfettamente stirato. Nero, lungo fino alle caviglie, con le maniche bordate di arancione, lo stesso colore della striscia di stoffa da legare in vita.

L'attenzione puntigliosa che Lepore ha avuto per i miei vestiti finirà nel nulla, penso mentre mi spoglio. Me li sfilo protetta dal pannello di legno, senza che l'uomo veda cosa mi sto togliendo, o mi chieda di guardare mentre lo faccio, e questo mi risparmia la prova piú dura. Mi spaventava piú del sesso. Se mi avesse chiesto di spogliarmi di fronte a lui, come performance inclusa nella prestazione, avrei provato un imbarazzo difficile da giustificare per una che di mestiere fa la puttana, perfino alle prime armi.

Il sollievo però dura solo un attimo. Nel momento in cui resto nuda con il kimono in mano, la consapevolezza della mia vulnerabilità mi risale lungo la spina dorsale e mi piega le gambe.

È come se il mondo intero mi stesse guardando. La sensazione che provo è talmente forte che mi giro con la certezza che l'uomo sia lí a fissarmi. Ma è ancora dalla parte opposta del pannello che ci divide, lo sento armeggiare, versarsi del vino nel bicchiere.

Non è lui che mi guarda, penso. La folla è nella mia testa.

Infilo il kimono e mi siedo sulla poltrona protetta dal séparé. La pulsazione di vergogna vibra e si coagula in una voce che giudica. So che questa è la prima avvisaglia di qualcosa che prenderà forza con il tempo a partire da domani, e che forse non riuscirò mai piú a zittire. La voce che mi darà della puttana per il resto dei miei giorni.

Al punto in cui sono posso solo scegliere se essere una semplice troia, nel caso in cui assecondi quest'uomo e poi sparisca senza dare a nessuno le foto, oppure troia e ricattatrice, se le consegno a Lepore e lascio che mi trovi un altro impiego come compenso per il lavoro sporco. E la divinità giudicante che vive nella mia testa potrà continuare ad accusarmi per sempre sulla base di quello che farò nelle prossime due ore.

L'enormità della sentenza mi schiaccia, mi risucchia.

La voce dell'uomo mi riporta indietro. – Tutto bene? Non hai bevuto quasi niente. Ti prego, fammi compagnia, – e mi porge il bicchiere sollevando il braccio oltre il séparé.

Bevo d'un fiato, ancora al riparo dal suo sguardo. E decido che questo è l'ultimo. Ho bisogno di restare lucida.

– Ti aspetto, – mi sollecita lui.

Esco.

Ha acceso la doppia fila di led che corrono lungo il perimetro dello specchio, e ha disseminato sul tavolo pennelli, flaconi, vasetti e ombretti che sembrano professionali.

Mi fa cenno di sedere sulla poltroncina di fronte al tavolo. Poi siede in cima a uno sgabello su rotelle, e si mette al mio fianco.

– Hai un bellissimo profilo, – dice seguendo con la mano la linea del naso, della bocca, fino a scivolare nell'incavo del collo sotto il mento. – Mi ricordi un po' l'efebo, sai?

Lo guardo. – L'efebo? La statuina di là? – chiedo confusa.

Lui annuisce. – Avete tutti e due un'aria senza tempo. Quanti anni hai?

– Ventisei.

E non farmi altre domande, prego in silenzio. Non sulla mia vita. Non sul lavoro che pensi che faccia.

– Ecco, è come pensavo. Avresti potuto dire dieci di meno, o dieci di piú, ti avrei creduto lo stesso.

Mi dico che devo sforzarmi e mostrare un minimo di intraprendenza. Non posso continuare nello stato di paralisi in cui sono piombata. Gli sorrido, cerco un appiglio dentro di me per recuperare un minimo di sfrontatezza.

Lui mi allarga le falde del kimono fino a scoprire la scollatura poco sopra il leggero rigonfiamento dei seni.

Mi guardo allo specchio. Cosa farebbe una puttana al posto mio? Sollevo le spalle, raddrizzo la schiena. Schiudo appena le labbra.

– Bene, – dice lui annuendo con la testa, come se approvasse il mio piccolo moto d'orgoglio. – Voglio che tu ti diverta quanto me.

Chissà se lo dice a tutte, o lo fa solo ora perché s'è accorto che non ho esperienza e gli faccio pena.

Mi fissa la frangia ai lati della testa con due mollette, in modo che la fronte resti scoperta, poi ruota sullo sgabello in modo da trovarsi davanti a me e dare le spalle allo specchio. Imbeve un disco d'ovatta nel latte detergente e me lo passa sul viso con delicatezza.

Quando arriva alla bocca il rossetto ancora carico di colore si sbava sulla guancia. Rimane una scia sanguigna. Bagna di nuovo l'ovatta, e ripulisce l'alone con piccoli movimenti circolari e una circospezione quasi timida. Poi sceglie una crema da un vasetto, la amalgama sui polpastrelli tra pollice e indice, e la distribuisce sul mio viso con piccoli tocchi che fa sfumare verso l'esterno. Lo sento respirare con calma, avverto l'odore dell'alcol nel suo fiato. Sembra completamente assorto.

Fa un mezzo giro sullo sgabello e scivola alle mie spalle per guardarmi a distanza. – Hai una pelle ideale per il trucco. Senza imperfezioni.

Si versa ancora del vino. La bottiglia è oltre la metà. Metto una mano a coprire il mio bicchiere quando accenna a versarne anche per me.

– Come vuoi, – mi dice compiacente. E poi: – Bene, cominciamo, – e appoggia il suo dopo averlo vuotato.

Apre un altro vasetto, mi mostra il contenuto. – Un opacizzante, ma non ne servirà molto, non ne hai bisogno –. Me lo spalma con cura meticolosa, poi cambia confezione. – Questo è un fondotinta minerale, – dice, come se per me fosse di qualche importanza sapere quale cosmetico usa. Lo distribuisce sul viso e sul collo con un pennello.

Quando ha finito mi prende con delicatezza il mento fra due dita, e lo ruota per verificare l'effetto sotto il riflesso della luce da tutte le angolazioni.

– Una base perfetta.

Mi guardo allo specchio. Il mio viso ora è denso e uniforme, cereo come un'icona, o una statua votiva. Non ho piú nemmeno un accenno di occhiaie. Le sopracciglia nere risaltano nel pallore compatto dell'incarnato, l'incavo degli occhi ha acquistato profondità e potenza. Sembro molto piú adulta di quella che sono.

L'uomo beve ancora, la fermezza professionale dei suoi gesti sta impercettibilmente virando verso l'instabilità. È meno lucido e piú aggressivo.

D'improvviso mi fa scivolare il kimono sulla spalla destra, e mi scopre un seno che emerge dalla vestaglia e risalta sotto il riflesso potente dei faretti. Controllo con uno sforzo enorme l'impulso a richiudere le falde del kimono. Di nuovo mi prendo l'unico spazio di libertà che posso praticare: respiro a fondo.

Lui invece scambia la mia esitazione per un gioco di ruoli. Mi guarda in attesa del mio permesso per continuare.

Un sottile rigagnolo di forza affiora dal riflesso della mia immagine allo specchio. Forse mi illudo, ma imbocco questa opportunità.

Osservo l'uomo con durezza, e i suoi occhi rispondono con eccitazione. Insisto, lo fisso con severità, come se volessi guidare il gioco.

– Rimetti a posto la vestaglia, – gli dico, rigida.

Lui afferra con grazia il kimono e lo riporta sulla spalla, tornando a coprire il seno.

– Sei una bimba prepotente, – dice. – Hai ragione. Non dobbiamo distrarci, c'è ancora del lavoro da fare.

Espira e torna a guardare fra i cosmetici. Sceglie una matita marrone scurissima e ripassa l'arco delle sopracciglia fino a che la linea arcuata non diventa uniforme. Prende un pennello e lo affonda in un ombretto color gesso, opaco e traslucido, lo distribuisce sulle palpebre e lo allunga con la punta di un dito. Con un ombretto grigio e un pennello piú sottile scurisce il contorno dell'occhio. Quando finisce con gli ombretti fa una pausa.

Porta il bicchiere alla bocca, ma si ferma all'improvviso. – No, – dice afferrando un tubetto sottile, – per l'eyeliner ci vuole mano ferma. Meglio bere dopo, – e si avvicina per allungarmi l'occhio e stendere una linea nerissima all'attaccatura delle ciglia. Ripassa piú volte la palpebra superiore, per rendere piú spessa la linea. Poi ne disegna una piú sottile nella parte inferiore.

Con il mascara mi allunga le ciglia. – Guarda in alto, – dice afferrandomi in vita per avvicinarsi.

Passa il pennello tre o quattro volte. E quando ha finito, con un minuscolo stick le separa pazientemente, ciuffo per ciuffo.

Si ferma e beve ancora. La bottiglia ormai è vuota.

Mi guardo allo specchio, la parte superiore del viso è truccata alla perfezione, la bocca e le guance invece sono ancora di cera.

Gli occhi sono due fari concentrici che in un primo momento non riconosco. D'istinto muovo una mano, solo per avere la conferma speculare di essere davvero io.

Una pulsazione sorda all'altezza del cuore mi spinge a contrarre le spalle. Di nuovo reprimo l'istinto di alzarmi e scappare. Un'energia radiante di tipo diverso mi incolla alla sedia. La sento, ma non so collocarla con esattezza in un punto preciso del corpo.

Guardo l'uomo, che mi osserva. È preso da quello che vede, trattiene il desiderio per il piacere di sentirlo crescere. Mi è sempre piú chiaro che sto esercitando un potere su di lui, e questo mi terrorizza come se fossi in bilico su una voragine.

Nello stesso momento identifico la fonte dell'energia che prima avvertivo confusa. È il plesso solare, un secondo cuore, che romba piú basso e piú forte del primo.

L'uomo si allontana e torna con una nuova bottiglia
di vino.

– Continuiamo? – mi chiede.

Ha gli occhi appannati, le mani gli tremano appena, lo
sento perché mentre manda giú il bicchiere mi accarezza
la coscia risalendo verso l'inguine. Si muove fino ad arrivare al mio sesso, lo sfiora con il pollice.

Questa volta dargli un ordine mi viene spontaneo. – Smet-
tila, – gli dico. – Finisci quello che devi fare.

Lui mi sorride di nuovo, compiacente, e sfila la mano
da sotto il kimono.

Sceglie il blush con cura, ci mette del tempo. Un rosa
carico. Lo sfuma sulle guance con un pennello che poi fa
scivolare su tutta la lunghezza degli zigomi e ripassa con
le dita.

Lascia la bocca per ultima. Mi ammorbidisce le labbra
con una crema, poi passa una matita rossa sul contorno.
Con la stessa matita le riempie di colore. Infine sceglie un
rossetto. Lo apre e lo accosta alle labbra per verificare la
sfumatura sotto la luce. Non è soddisfatto. Ne prova un
altro, ma non trova quello che vuole.

– Avrei preferito quello che avevi addosso prima, – mi
dice.

– È in borsa.

– Prendilo.

Glielo porto. Quando torno mi accoglie con un sorriso
alcolico. Mi afferra alla vita mentre è ancora seduto sullo
sgabello, e affonda il viso all'altezza del mio stomaco. Allarga le falde del kimono, mugola, sta facendo uno sforzo,
sento le sue labbra, la lingua che si infila nel mio ombelico
e lo fruga, ma si trattiene, mi lascia andare, e mi fa sedere di nuovo. – Non roviniamo tutto, manca poco, – dice.

Richiudo con calma il kimono che si era allentato, lo faccio guardandolo dall'alto, scandendo i movimenti, senza mai smettere di fissarlo. Ho il controllo della situazione.

Lui mi afferra il braccio e mi fa sedere. Poi prende il rossetto e lo ruota perché esca dallo stick. Lo solleva come gli altri, per osservarlo in piena luce. – Perfetto. È questo.

Me lo passa con cura sul labbro superiore, poi su quello inferiore. Nel riflesso dello specchio il volume delle mie labbra si gonfia di colore come se fossi pronta a mordere e aggredire.

L'uomo si alza barcollando e si mette alle mie spalle, in piedi. Il suo viso sparisce assorbito dal buio. Vedo le mani togliere le mollette e infilarmi due volte le dita fra i capelli per ravviarli. Poi le ritrae, e nello specchio rimango solo io, inquadrata nel cerchio di luce delle lampadine.

Sento che l'uomo mi massaggia il collo con lentezza. Si abbassa per mordermi un orecchio, e di nuovo mi fa scivolare il kimono dalle spalle, lasciandomi nuda dalla vita in su. Non posso fare a meno di pensare a Lepore, perché tutto in lui me lo ricorda. Trattengo una reazione di disgusto.

Non è solo il sesso che mi spaventa, il sesso è la cosa che conta meno, quella che metabolizzerò piú velocemente. A devastarmi è l'idea di essere usata nel modo piú schifoso, una pedina nelle mani di un uomo cosí egocentrico da non riconoscere valore a nessuno, per una maledetta statuina, la punta di una faida che si trascina da decenni, e in cui non c'entro nulla.

Il passato si riavvolge fino al momento in cui Lepore mi ha minacciata di farmi perdere il lavoro, e piú lontano, attraverso ogni occasione di tristezza o avvilimento provata in questi mesi. Mi era sembrata un'occasione di libertà, e si è trasformata in una replica della stessa prigione da cui vengo, in cui faccio cose che odio, e sono obbligata a comportarmi come la persona che non sono.

E poi mi colpisce un'evidenza: ho davvero bisogno di arrivare a questo? Se ho potuto resistere in questi mesi di delirio, e sono riuscita a cavarmela, a studiare, a riprendere il passo della mia vita, mi serve davvero spingermi fino a un punto cosí estremo?

Il pensiero mi restituisce lucidità.

Quando abbiamo parlato dell'efebo, nell'altra stanza, l'uomo non ha mai detto di non volerlo restituire. Ha detto solo di non aver ancora preso una decisione. Mi ha addirittura chiesto un parere.

Sono una maledetta idiota, ero cosí attenta a cercare di capire se fosse quello l'oggetto che si contendevano, da non rendermi conto che magari esiste un modo diverso per portarlo via.

Lui è sempre dietro le mie spalle, in piedi. Si piega in avanti, mi afferra i seni, li strizza senza grazia, scambia il mio mugolio di dolore per una cosa che ha a che fare con il piacere.

Poi si ferma all'improvviso.

– Una foto. Ne voglio una tua sul muro, accanto alle altre.

Per un secondo mi spavento, penso che sappia che intenzioni ho, poi capisco che non allude a quello. Però non sono tranquilla. È già abbastanza penoso per me che Lepore conservi le immagini che mi ha chiesto di scattare, ma dal momento in cui ho accettato quella è diventata una conseguenza inevitabile. L'ultima cosa al mondo che voglio è che restino altre tracce di me, stanotte, in questa casa.

Lui si allontana per prendere il cellulare. Torna. Sto per dirgli che preferisco di no.

– Hai paura? – mi chiede.

– Di questi tempi non sai mai dove può finire una foto digitale.

– Se fossi riconoscibile, sarei d'accordo con te. Ma guardati. Potresti essere chiunque. Sei completamente diversa da come sei entrata.

Ha ragione. Somiglio alle donne nelle foto attaccate intorno allo specchio. Non c'è piú differenza fra me e loro. Indossiamo la stessa maschera aggressiva, siamo ugualmente minacciose. Creature ferine pronte per la guerra. Facce da medusa che fissano il nemico negli occhi. No, nemmeno mia madre mi riconoscerebbe.

Scatta una decina di foto. Fatica a tenersi in piedi, le immagini vengono sfocate o mosse. Deve rifarle e non è soddisfatto del risultato. Si siede sullo sgabello.

– Fa' tu, – mi dice. – Hai bevuto meno, la tua mano è piú ferma della mia.

Mi guarda con adorazione, tutte e due le mani sulle mie cosce. Le stringe e le accarezza.

Faccio quello che mi chiede. Allungo e sposto il braccio verso l'alto, fisso l'obiettivo del cellulare e mi scatto una foto, poi la vediamo insieme.

Il braccio teso al massimo dell'estensione per dare spazio all'inquadratura mi attribuisce un aspetto marziale. Un arciere che tende la corda prima di scoccare. I miei occhi sono senza sfumature, senza esitazioni. Sembro una donna consapevole di quello che fa.

– Mi piace, – dice lui, ammirato. – Sei tu.

Sono io? Davvero?

Osservo ancora la foto. Qualcosa riprende ad agitarsi. Sono di nuovo sul ciglio del precipizio, sento la lusinga che viene da un potere enorme di cui non so nulla, a parte il fatto di essere stata educata a diffidarne.

Lui mi fa alzare dalla sedia. Finisce di sfilarmi la vestaglia, che precipita lungo i fianchi e si raccoglie intorno ai miei piedi, lasciandomi nuda.

Ora devo scegliere. Subire l'incendio oppure aggredirlo.

L'uomo mi afferra per i fianchi e fa per buttarmi sul letto.

– No, – dico piantandogli una mano sul petto.

Il mio rifiuto lo sorprende. Il mio rifiuto sorprende soprattutto me.

– Lascia che la porti via, – gli dico senza esitazioni.

Mi guarda. Non ha il piú vago indizio.

– Ma di cosa parli?

– La statua, l'efebo. Qualunque cosa sia, hai detto che per te sarebbe una liberazione. E poi non ha valore, no?

Lui si siede sul letto e mi fissa.

– Ma come ti viene in mente una cosa del genere?

Si alza in piedi, è agitato. Non riesce a capire, ma vedo che sta pensando a qualcosa.

Poi cade a peso morto sul letto, seduto, e si appoggia le mani dietro il collo. Si piega in avanti e scuote la testa ritmicamente, incredulo.

Mi guarda di nuovo.

– Ti ha mandata lui, vero?

Se voglio continuare la commedia con la speranza che mi creda, questa è l'ultima occasione che ho per negare. Non ci provo nemmeno. È come se tutto il bisogno e tutta la paura che credevo di avere stessero subendo una metamorfosi accelerata. Vado fino in fondo.

Tiro su la vestaglia dal pavimento e me la infilo, poi mi siedo accanto a lui. Sono molto calma.

– Se stai parlando di Ludovico Lepore, sí, mi ha mandata lui.

L'uomo spalanca le braccia, esasperato. C'è qualcosa nei suoi occhi che va oltre l'incredulità, una sorta di sulfurea allegria.

– Non posso crederci, – dice. – Avrebbe potuto almeno pagare una vera puttana! Tu non lo sei.

Scuoto la testa.

– Cosa, allora? Una ladra?

– Come ladra sarei anche peggio. E se lo fossi non avrei fatto richieste. Stai bevendo molto. Potevo aspettare che ti ubriacassi per poi prendere la statua senza dirti niente.

– E allora cosa ti ha chiesto di fare?

Non gli rispondo. Mi pare che a questo punto non abbia piú alcuna importanza. Lo pensa anche lui, perché non insiste.

Si strofina gli occhi con i palmi delle mani, cerca di recuperare lucidità.

– Quanto deve essere disperato per ricorrere a un mezzo del genere? – mi chiede, e quando rialza la testa ha gli occhi umidi. – È una cosa patetica.

Molto, penso io. Molto disperato. Molto patetica.

E perché ho avuto tanta paura di un uomo talmente disperato da fare una cosa cosí patetica?

Mi alzo. Rimango in piedi davanti a lui.

– Dallo a me, – gli ripeto. – Non so cosa significhi per voi, ma sono sicura che per te è un peso. L'hai detto anche tu, ti lega al passato e non ti rende felice. Lasciamelo portare fuori di qui.

Pronuncio le parole senza esitazioni perché sono del tutto indifferente al risultato. Non mi importa che me la consegni oppure no. Sono arrivata fino a qui, vado avanti comunque.

13

Quando apro il portone ed esco in strada sono passate da poco le dieci, e l'aria fresca mi rianima. Mi guardo intorno, una cosa che non avevo fatto arrivando qui, troppo presa dall'agitazione. Sono in una strada chiusa che risalgo in fretta verso l'uscita. Finisco in un viale fiancheggiato da portici.

Deve essere via Umberto I, perché a destra intravedo le statue di Prato della Valle che bucano la leggera foschia della sera.

Nella piazza c'è poca gente. L'unico mezzo che si muove lungo l'emiciclo è un autobus arancione che svolta verso la basilica del Santo e scompare.

Mi avvio in direzione del Ghetto camminando sotto i portici. C'è un bar a poche decine di metri che sta chiudendo, la saracinesca già abbassata per un terzo. Fuori ci sono quattro tavolini, e una ragazza molto giovane che passa uno straccio. C'è anche un uomo seduto che guarda verso di me.

Quanto ci metto a capire che è Lepore? Una frazione di secondo, credo. Non mi stupisco. Se fossi rimasta dentro tutta la notte, scommetto che avrebbe aspettato fino all'alba.

La statuina dell'efebo è sotto il mio braccio, avvolta in un giornale.

Mentre lo preparavo, nell'appartamento, l'uomo mi guardava. Era ancora seduto sul letto, e seguiva i miei

movimenti attraverso la porta aperta. Sembrava svuotato e incredulo.

Ho aperto la vetrina e ho tirato fuori l'efebo con delicatezza, poi l'ho appoggiato sul tavolo sotto la finestra.
Mi sono mossa molto lentamente, l'uomo avrebbe potuto
fermarmi in ogni momento ma non l'ha fatto.

Per un attimo ho osservato l'efebo alla luce della luna,
il satellite argentato cui questa creatura siderale sembra
appartenere. Era alta e piena al centro del cielo notturno.

Ho preso alcuni vecchi giornali buttati sul divano, ho
staccato qualche foglio e l'ho fasciato con cura. Mi fissava mentre lo avvolgevo come se stessimo compiendo un
rito sacro di separazione. Avevo ancora addosso il kimono
che mi faceva somigliare a una sacerdotessa. Lui spariva
a poco a poco nel suo sudario di carta.

La testa è rimasta fuori per ultima. È stato difficile so-
stenerne lo sguardo. Poi l'ho coperta e a quel punto l'incanto si è spento.

Mi sono rivestita. Per tutto il tempo l'uomo ha continuato a fissare l'efebo. Sono tornata al tavolo e l'ho sollevato. Non era pesante. Ho pensato che fosse il suo modo
per dire che aveva voglia di uscire da lí.

– Possiamo andare via? – ho chiesto. Volevo essere espli-
cita, desideravo che capisse bene che stavo parlando per
tutti e due, per l'efebo e per me.

Lui ha fatto cenno di sí.

Metto la statua sul tavolo tra me e Lepore, e mi siedo
di fronte a lui.

Mi ascolto per verificare se c'è ancora traccia del timore che ho avuto di quest'uomo. Non ne trovo.

Ce ne stiamo in silenzio finché la ragazzina del bar non
arriva a chiedermi se voglio qualcosa, ma in fretta, gen-

tilmente, perché sono in chiusura. Declino con un gesto della mano. Per ora ho bisogno solo di questo. Restare accanto a lui ascoltando gli ultimi residui d'ansia che si dissolvono.

Lepore è impenetrabile. Non so se è una mia sensazione, ma la sua struttura fisica sembra aver perso ancora consistenza. È come se fosse sul punto di liquefarsi.

Allunga la mano verso la statua e strappa lo strato superiore di carta. Lo sguardo dell'efebo riemerge dal buio, e mi pare che Lepore si emozioni.

– Non pensavo che la tenesse qui, – sussurra.

Impossibile dire cosa gli passi per la testa. Forse per un momento la tensione fa una minuscola breccia, ma viene riassorbita dal vuoto e lui rientra nel ruolo.

La sua voce torna a essere quella che conosco. Tagliente. Spigolosa. – L'ha rubata? È stata brava a riconoscerla, però non è questo che le avevo detto di fare. E se finisce con una denuncia non ho intenzione di proteggerla.

Scuoto la testa. – Ho avuto il permesso di portarla via.

Mi guarda come se avessi bestemmiato. Non contempla nemmeno l'ipotesi, esclude che me la sia cavata senza danni, semplicemente dichiarando cosa ero venuta a fare e perché. Quindi non si spiega per quale ragione io sia cosí calma o per quale motivo l'efebo sia qui.

Sorrido. – In un certo senso credo di doverla ringraziare. Stanotte ho imparato qualcosa.

Lui si rilassa. – È la sua strategia d'uscita? Cercare di convincersi che è stata una sorta di illuminazione?

– Non so se la definirei cosí. Però è stato diverso da quello che mi aspettavo. Ma anche da quello che si aspettava lei, suppongo.

– Insomma cerca di svincolarsi con un giochino dialettico.

Infilo una mano in tasca e prendo il telefono che mi aveva consegnato ieri per scattare le foto. Compongo un numero sulla tastiera ma non premo il tasto di chiamata. Gli porgo il telefono.

– Vuole parlare con mia madre? È il suo numero, basta che schiacci il tasto verde. Parli con lei. Le dica tutto. Sono il datore di lavoro di sua figlia. Voglio che sappia che Rosita è disposta a conciarsi come una puttana, e a ricattare uomini per ricavarne un profitto. Glielo dica, anche se non è vero, a me non importa.

Lepore prende il telefono in mano, lo tiene per qualche secondo e soppesa la mia determinazione. Poi cancella il numero e mette l'apparecchio in stand by.

– Il fatto che sia capace di un piccolo gesto di sfida nei confronti di sua madre non cambia quel che è successo stanotte.

«Una domanda stimolante», mi dico.

– E cosa è successo stanotte? – Non è retorica. Per me è essenziale capirlo davvero.

– Non mi interessano i dettagli. Mi basta che lo sappiamo io e lei. E non mi pare che ci siano grandi varianti interpretative.

– Sí, lei dice sempre cosí, ma io non sono d'accordo. C'è il suo modo di vedere le cose, e c'è il mio. Lei vuole dimostrare che avere accettato la sua proposta fa di me una nullità. Le dico invece quello che penso io: ho fatto una cosa di cui non mi credevo capace.

Lui sorride di nuovo, fa un cenno come per dire che sono sciocchezze senza peso.

– È lei che ha bisogno di etichettare, è una sua decisione. Invece per me è diverso, – continuo. – Sono uscita viva da qualcosa che credevo potesse uccidermi, e sono rimasta lucida abbastanza per trovare un'alternativa. Questo mi fa venire qualche sospetto, capisce? Non mi sarei mai spinta cosí oltre di mia iniziativa. Magari quello che credevo fosse il mio limite estremo era solo una particolare forma di forza. L'avrei scoperto se stasera non fossi venuta qui? Non lo so. Non credo.

Lepore ride apertamente. – Insomma, le ho spalancato nuove opportunità professionali. Ha scoperto di avere ambizioni di carriera nel settore –. Poi la sua faccia torna seria. – Dica quello che vuole, ma non può assolversi con un sofismo.

– Assolvermi non è importante. Assolvermi è una faccenda che riguarda lei. Sí, è proprio questo, – mi piego in avanti verso di lui, perché ora che lo dico ad alta voce sento che il concetto mi corrisponde intimamente. – Non ho bisogno di convincerla di niente. Posso convivere con la pessima opinione che ha di me, perché è un problema suo –. Sorrido, e mi appoggio allo schienale. – Ho pensato a molte cose lí dentro. E non credo che mi serva piú il suo aiuto.

Mi fissa. – Non dica idiozie.

Restiamo zitti per una decina di secondi. Lui testa di nuovo la mia determinazione, con la certezza che cederò.

– Non voglio rifiutare un'offerta decente se è in grado di procurarmela. In fondo ha riavuto indietro l'oggetto che voleva. Ma se pensava di farlo come forma di compiacenza nei miei riguardi, può tenersela. Io me lo merito perché lavoro bene. E se non è d'accordo, faccio a meno del suo aiuto e mi arrangio da sola.

Ha un'espressione infastidita, però non è preoccupato. Sente che si tratta di aggiustare il tiro. Guarda verso l'alto, fissando le arcate del portico. Poi, come se avesse catturato in volo l'argomentazione giusta, riporta lo sguardo su di me.

– Ha mai pensato a quello che suo padre avrebbe voluto che facesse con i soldi che le ha lasciato?

Mi allarmo. Cosa c'entra questo?

– Perché crede che non desiderasse le stesse cose che vuole sua madre? – continua. – O che avrebbe appoggiato il desiderio di studiare? Gliel'ha mai sentito dire? Magari anche lui voleva solo che restasse a casa.

Una domanda che non mi sono mai posta. Ho un vago ricordo di mio padre, che connetto all'idea di sostegno, di aiuto. E di gioco, sí. Allegria.

Vengo attratta dall'orbita del suo ragionamento. Ma prima di aprire bocca visualizzo il labirinto mentale in cui passa le giornate. Lo vedo osservare un topo che finisce in un vicolo cieco, torna indietro, riprende ad aggirarsi alla ricerca di un'uscita. È lí dentro che vuole infilzarmi, sono una farfalla da collezione, perché giocare al demiurgo è l'unica cosa che gli dà ancora l'illusione del controllo e lo tiene distante dal panico, mentre il cammino che gli rimane si accorcia, e l'orizzonte si avvicina.

Tutta la vitalità che gli resta in questo momento si focalizza negli occhi che sono accesi, febbrili. Il corpo è rattrappito sulla sedia. Stringe l'accendino con tanta forza che le nocche diventano bianche.

Ha finito le munizioni. Se anche questa non funziona, ha perso, muore ora.

Per un attimo mi disarma l'idea della disperazione che nasconde con tanta ferocia. Lo vedo per quello che è, un vecchio avvelenato dal cinismo che non sa come uscirne. Nemmeno la presenza dell'efebo, qualunque cosa significhi per lui, l'ha riportato nei pressi di un confine di minima umanità. Sembra addirittura aver dimenticato che è qui fra noi.

Lepore rileva la mia titubanza, la scambia per debolezza, crede di avermi agganciata e attende che cominci a oscillare.

Allora ripenso a quello che ho fatto stanotte, alla determinazione che ho dovuto estirparmi dal fondo del ventre per uscire da qui.

– Lei e mia madre siete uguali, – gli dico sorridendo, – mai, mai un dubbio –. Mi sporgo ancora in avanti. – E tutte queste certezze vi hanno reso felici?

Vorrei aggiungere qualcosa, ma l'istinto di farlo mi muore sulle labbra. Non c'è altro da dire. Il momento in cui cominci a capire chi sei è lo stesso in cui diventa superfluo spiegarlo a chiunque.

Afferro l'efebo, glielo metto davanti agli occhi. – È lei che ha bisogno di una stampella. Bene, adesso ce l'ha.

Faccio per alzarmi e andarmene, ma quando mi giro, a qualche metro di distanza, vedo l'uomo che ho lasciato una decina di minuti fa nell'appartamento.

Si accorge che lo sto guardando, si riscuote, e si avvicina al nostro tavolo a passo lento.

Lo vede anche Lepore, che allunga la mano e afferra saldamente l'efebo, stringendo gli occhi in una fessura cattiva.

L'altro invece sembra sovrappensiero. Cammina con le mani lungo i fianchi, nella destra ha un mazzo di chiavi. Ci raggiunge, e resta lí in piedi accanto a noi.

Osserva Lepore che tiene stretta la figurina di bronzo come se volesse proteggerla.

– Immaginavo che fossi qui. E non la voglio indietro, – dice indicandola, – se è di questo che hai paura.

Lepore allenta la presa.

– Avevi bisogno di mettere in scena questa pantomima? Avresti potuto chiederla, te l'avrei data.

– È quello che ho fatto, te l'ho chiesta. Tre volte. Non mi hai mai risposto.

L'altro si tira su la piega dei pantaloni e si siede. Il gesto mi intenerisce, l'ho visto fare solo a uomini anziani.

– Magari volevo che venissi a chiedermelo di persona.
Lepore è incredulo. – Ti aspettavi che supplicassi?

– Volevo parlarne con te, credo.

– Quale tipo di penosa allusione senile stai facendo,
Guido?

L'uomo si rigira le chiavi fra le mani. Ha un'espressione
che dice che è stanco, e che tutto gli pare futile.

– Mi sei mancato, – dice. Ma gli esce male, con un suono strozzato, come un motore ingolfato da anni.

Poi allunga un braccio verso Lepore, che si ritrae bruscamente, trascinando l'efebo con sé. Il gesto è violento, la
statuina sbatte contro il tavolino e fa un rumore metallico.

L'altro resta con la mano sospesa, indeciso se ritirarla,
poi conclude la parabola fino a sfiorare Lepore. Non è una
presa, solo un contatto delicato.

– Basta, – dice.

Ma Lepore è una furia. Non vuole negoziare a nessun
costo, ha pochissima energia e vuole usare quella che gli
rimane per pareggiare i conti.

L'uomo davanti a lui non cede, se ne sta lí, rigido, a far
fronte alla rabbia. Resiste. – Basta, – dice ancora.

Lepore cerca di divincolarsi, o almeno cosí mi pare. Ma
non sarebbe difficile scivolare via se davvero volesse. È di-
viso. Ha paura di sembrare debole se scappa, soprattutto
di fronte a me. Vuole allontanarsi senza apparire sconfitto.

L'altro non si muove, non fiata. Vede crescere l'onda di
risentimento che sommerge Lepore, e ne rispetta il ritmo.

Poi, spontanea come l'ultimo respiro di una creatura che
conclude il suo ciclo vitale, la resistenza cessa e Lepore si
arrende. Alla consapevolezza della malattia e della morte. Alla necessità irrazionale di cercare conforto in quella
statuina di metallo che ha ancora stretta al petto. Alla vicinanza dell'uomo accanto a lui.

L'uomo – quello di cui ora conosco il nome, Guido – guarda verso di me. Non serve aggiungere altro. Io qui non c'entro piú nulla.

Mi alzo e mi allontano a passi lenti.

Appena prima che cominci il tratto finale che sbuca in Prato della Valle, la strada fa una curva. Se supero quest'angolo scompariranno dalla mia vista.

Allora mi giro un attimo a guardarli prima di andare.

Non si sono mossi. Sono lí, seduti al tavolo, le teste chine in avanti e la fronte dell'uno che quasi sfiora quella dell'altro, come se avessero bisogno di parlarsi da vicino per farsi raggiungere dal suono della voce.

Discutono senza sosta, una specie di confessione simultanea e reciproca, un buco enorme di tempo e spazio da riempire.

Ogni tanto alzano il tono.

Sono troppo distante per sentirli, ma lo capisco perché hanno degli scatti repentini e si mettono a gesticolare. Poi però con lentezza tornano ad avvicinare le teste, che quasi si toccano, e quel confronto sembra solo una scusa per respirare di nuovo all'unisono.

L'efebo si è fatto da parte, isolato in un angolo del tavolo. Assiste impassibile alla discussione, com'è nella sua natura.

A un certo punto si alzano bruscamente. Prima Lepore, poi l'altro. Sono sempre animati, e si agitano, ma perfino a questa distanza mi rendo conto che hanno comunque bisogno di stare vicini, anche se l'unico varco che riescono a percorrere insieme per il momento è un cunicolo di recriminazione e rabbia.

Si allontanano verso il centro, nella direzione opposta alla mia. È Guido che insegue Ludovico, e Ludovico che si gira per accertarsi di essere inseguito. L'efebo resta sul tavolo. Nella foga si dimenticano di lui.

Sorrido e aspetto, convinta che uno dei due se ne accorga e torni indietro, ma non lo fanno. L'efebo rimane solo, sembra che sia stato fuso e forgiato su quel tavolo.

Rifletto se andare a prenderlo, rinuncio subito.

Forse il suo lavoro è finito. Forse questi due uomini non hanno piú bisogno di un dio che li nasconda e li protegga.

Ringraziamenti.

Questa storia è nata a Rovigo, in piazza Garibaldi, tra le mura della scuola di scrittura Palomar. Mattia Signorini l'ha aiutata a nascere e l'ha fatta respirare, Giulia Belloni è intervenuta piú avanti spingendomi a ripensarla e a sciogliere il finale. Federica Priola, Riccardo Fornasiero e Christian Spinello hanno contribuito a svilupparla con molte ore di ascolto amorevole e alcol in proporzione.

Per i chiarimenti tecnici sulle attività legali devo ringraziare Carola Regolo, Lorenzo Zanella e Alessandro Tozzi; per avermi raccontato i protocolli delle segreterie il mio grazie va a Mercedes Garollo. Per il curriculum degli studi di Medicina la fonte è stata Iacopo Fornasiero, per la Biologia Marco Tarantino e Lucio Sandon. Infine, per la consulenza sulle infinite forme dell'amore, sono grata a Michele Visentin.

Molto è il sostegno che mi è arrivato in modo piú impalpabile. In particolare i consigli e i meriti di Laura Liberale sono innumerevoli.

Un passo indietro, nell'ombra, c'è stata la mia famiglia, che è fatta di persone silenziose e presenti: ho sempre avvertito il vostro supporto.

All'inizio e alla fine di tutto c'è mio marito Roberto: ero forte abbastanza per restare in piedi anche da sola, ma la felicità è un'altra cosa.

Nota al testo.

Il testo in epigrafe è tratto da E. M. Forster, *Maurice*, trad. di M. Bonsanti, Garzanti, Milano 1972.

Stampato per conto della Casa editrice Einaudi
presso ELCOGRAF S.p.A. - Stabilimento di Cles (Tn)

C.L. 23734

Edizione							Anno			
3	4	5	6	7	8		2018	2019	2020	2021